El laberinto mágico V

Campo del moro

LITERATURA
ALFAGUARA

ESTA EDICION HA ESTADO A CARGO
DE EDUARDO NAVAL

Max Aub

El laberinto mágico V

Campo del moro

EDICIONES
ALFAGUARA
S.A.

PERPETUA BARJAU, VDA. DE MAX AUB, 1963
DE ESTA EDICION:

EDICIONES
ALFAGUARA
S. A.

AVENIDA DE AMERICA, 37
EDIFICIO TORRES BLANCAS
MADRID-2
TELEFONO 416 09 00
1979

ISBN: 84-204-2022-0
DEPOSITO LEGAL: M. 29.895/1979

INDICE

LA MAQUETA DE LA COLECCION
Y EL DISEÑO DE LA CUBIERTA
ESTUVIERON A CARGO DE
ENRIC SATUE ®

PARA LA COMPOSICION TIPOGRAFICA
SE HA UTILIZADO TIPO GARAMONT
CUERPO 10

PARA LA CUBIERTA
SE HA UTILIZADO PAPEL ACUARELA
DE PAPELERA PENINSULAR
Y PARA EL INTERIOR
PAPEL OFFSET EDITORIAL
DE 71 GMS
DE ECHAZARRETA, S. A.

Pero lo que no dicen los historiadores, ni consta de ninguna manera, es que dichos monarcas hicieran su residencia en el Alcázar, ni se trata de él como mansión real, sino sólo como defensa formidable en todas ocasiones; ya contra las acometidas que, a los pocos años de la reconquista, hizo contra Madrid en 1109 el rey de los Almoravides Tejufin, y que resistieron victoriosamente los habitantes, encerrados en el Alcázar, rechazando al ejército marroquí que había llegado a sentar sus reales en el sitio que aún se llama el Campo del Moro; *ya en las funestas revueltas interiores de los reinos sucesivos, hasta la misma guerra fratricida de don Pedro y don Enrique.*

Ramón de Mesonero Romanos: El antiguo Madrid, paseos histórico-anecdóticos por las calles y casas de esta villa.

Madrid, 13 de marzo de 1939.—La artillería nacionalista reanudó sus esporádicos bombardeos. Un obús destrozó un coche fúnebre cerca del Cementerio del Este, hiriendo y matando al acompañamiento.

El Universal (Cable de la I.P.)

I.   5 *de marzo de 1939*

1

Señor, le llama el Presidente del Consejo.

El ayudante cierra la puerta. Bernardo Giner de los Ríos toma el audífono.

—Don Juan...

—Habrá Consejo de Ministros esta tarde, a las seis, en la posición *Yuste*. El gobernador de Madrid tiene las órdenes necesarias, y el avión, para proceder al traslado de los ministros que están ahí... Le ruego traiga al general Casado. El general Miaja viene por carretera, de Valencia.

Lujosas, heladas habitaciones del hotel Palace, que hizo preparar para el primer embajador soviético: hace años que no funciona la calefacción.

Cañoneo. Vibran aire y cristales. Gris y frío.

—Comuníqueme con el general Casado, en la posición *Jaca*.

La carretera de Aragón, la alameda de Osuna, la espléndida finca —el ministro está viendo la tapia que bordea la carretera, la reja de entrada— que fue antes Cuartel General del general Miaja.

—Hola, general

—Coronel, y gracias.

—¿Desde cuándo?

—No habiendo firmado mi nombramiento el Presidente de la República, y no habiendo ya Presidente de la República, es anticonstitucional.

—Me sorprende, Segismundo. Pero, en fin... ¿Cómo está?

—Mal, muy mal.

—¿Qué le pasa?

—Lo de siempre; la úlcera. No me deja moverme.

—El Presidente desea que venga usted con nosotros esta tarde a la posición *Yuste*. Hay consejo de ministros.

—Lo siento mucho, pero no me es posible.

—No será tanto.

—Lo mejor será que Negrín viniese aquí. Ya sabe cómo están las cosas. Si falto de Madrid no respondo de lo que pueda pasar.

—Es cuestión de horas.

—Por eso mismo.

—Por lo menos venga a comer con nosotros, al Gobierno Civil.

—Yo no como.

El ministro se impacienta, da aristas al tono.

—Aunque no coma, venga a tomar café, y no me diga que no lo toma, sin contar que no hay.

Vuelve a entrar el ayudante, cuando se está haciendo el nudo de la corbata.

—Le llama don Julián Besteiro.

—Hola, Julián.

—Quisiera verte. ¿A qué hora puedo pasar por el Ministerio?

—No te molestes. Iré por tu casa.

—Me harás un favor, tengo fiebre.

—¿Algo de cuidado?

—No, calenturiento. Lo de siempre. Nada.

Son viejos amigos, compañeros de la Institución Libre de Enseñanza, así Besteiro sea mayor. Ambos liberales, espigados, altos, distinguidos, buenos mozos, muy aficionados al sexo contrario. Julián Besteiro, hostil al Gobierno del que forma parte Giner de los Ríos, preside la Junta de Saneamiento y Reconstrucción de Madrid por insistencia y afición al Ministro de Comunicaciones y Obras Públicas.

El hotelito de Julián Besteiro está en la Colonia del Viso, cerca de la Residencia, pasando el Canalillo. Por allí, como por el barrio de Salamanca, no bombardean. Puerto libre.

—He querido verte para que sepas, de mis labios, que todos los rumores que corren acerca de mi participación en un movimiento en contra del Gobierno, son falsos.

—Me alegra mucho oírtelo porque hay gran cantidad de noticias contradictorias acerca de eso.

—Ahora bien, también te digo que si fuese requerido por una autoridad competente para acabar la guerra, podría contar conmigo.

—¿Autoridad competente? El Gobierno...

—El Gobierno no puede hacer nada, entre otras cosas porque precisamente carece de autoridad.

—Eso dices tú...

A la tres de la tarde, en la calle de Juan Bravo, casi esquina con la de Velázquez, en el palacio de Medinaceli, el coronel Casado, jefe del Ejército del Centro, precisa:

—No puedo moverme de Madrid. Todos están pendientes de mí. Si desaparezco se armará un jaleo espantoso. Ahora bien, estoy a la disposición del Gobierno. Después del consejo, si el Presidente considera necesario que vaya, iré. No tiene más que hablarme —dice a Giner de los Ríos—, a todos:

—¿a qué hora saldréis?

—Ahora mismo, a las cinco tenemos que estar en Barajas.

—¿En qué hacéis el viaje?

—En un Dragón. A ver si no nos fríen, al despegar, desde el Cerro de los Angeles.

Despegan. Desde que toman altura, ven la línea que parte España: Fuencarral, nuestro; Aravaca, de ellos; Vicálvaro, nuestro; Carabanchel, de ellos; Vallecas, nuestro; Villaverde, de ellos. Ellos, que están a punto de ganar.

2

Desde el 7 de noviembre de 1936, en que le trajeron la guerra a las puertas de su casa, Fidel Muñoz dispara cada mañana unos cuantos tiros contra los *fachas;* luego baja al recibidor de lo que fue entresuelo, única habitación con techo, come lo que hay —que suele ser lentejas sin adobo—, oye los partes de la radio —no pasa casi nada desde que se acabó, hace un mes, lo de Cataluña—, vuelve a su observatorio.

Intentaron evacuarlo varias veces, sin lograrlo. Entre la artillería y la aviación, que tumbaron las casas de parte de la calle de Hilarión Eslava y otro poco de la de Gaztambide, le dieron la vista, tantos años soñada, de la Casa de Campo y de la Ciudad Universitaria.

—Ahora que el edificio vale lo que nunca ¿queréis que lo deje? ¡Ni pensarlo!

Partida por la mitad, incólume la escalera, aspillera lo que queda del desván, la casa tiene, a su juicio, aire de inexpugnable fortaleza. A fuerza de la costumbre los sucesivos comandantes del sector han respetado su tesón, porque Fidel Muñoz es hombre

de buena historia socialista (—Mi limpia ejecutoria...
—empieza diciendo—).

Cuida el fusil del que se sirve como lo más
preciado que posee; lo alcanzó el 18 de julio en el
cuartel del Conde Duque; munición no le falta: en
El Socialista se la proporcionan.

Fidel Muñoz acaba de cumplir sesenta años
(—Como los buenos —dice sin saber por qué—): la
calva zapatera, lo cano amarillento, la enjutez del
hambre que se pasa desde hace casi tres años en Madrid; aunque nunca le sobraron carnes.

Vive solo en los restos de la casa que, en julio
de 1936, todavía no acababa de pagar. Su mujer está
en Alacuás, en la provincia de Valencia, con los hijos
más chicos, de trece, once, ocho y siete años. El mayor
que tiene veinte, está en Cartagena —en la Marina—;
el que sigue, de diecinueve, pasó a Francia, con el
Ejército de Cataluña; el de diecisiete sirve en el frente
de Extremadura.

¿Qué diría Clara si viese cómo está la casa?
¿La ganaría el gusto del paisaje descubierto (año tras
año diciendo: —Si no estuviese este caserón ahí enfrente...) o la furia por la destrucción? Su casa. ¡Tantos años pagándola!

—No a todo el mundo le traen el frente a la
cama, como si fuese el desayuno, ¿lo iba a perder?

Dejó su trabajo en el periódico el 18 de julio.
Se echó a la calle, subió a la Sierra, disparó por primera vez en su vida —de joven no sirvió al Rey: le
tocó un número superior, de lo más bajo, y se libró—.
Se dio cuenta que había nacido para defender la
República con las armas en la mano, pero sin ascender; no era quién para mandar ni obedecer. Tuvieron
que dejarlo por imposible.

—Yo peleo. Lo demás son zarandajas. Si todos hicieron lo que yo: en Burgos, pasado mañana.

Nadie le contradice.

—A mí, dejadme de garambainas. Me las arreglo y compongo solo. Cuando me hace falta munición la encuentro, y del suministro yo me encargo.

Exageraba, pero no mucho.

—Te has vuelto anarquista.

—¿Yo? ¡Vamos, anda! Pertenezco al Partido Socialista Obrero Español —enfatiza— desde antes que mamaras la primera leche de tu señora madre. Lo que pasa es que tengo un conocimiento exacto de mis posibilidades. Para obedecer me sobra sangre, y me hierve si me dicen que haga algo que me parece idiota. Y mandar... Mandar, nunca me ha salido de aquí...

Señala al azar su pecho, no sabiendo ya a ciencia cierta dónde tiene el corazón. Se acuerda de los ocho hijos de la Clara —suyos, pero más de la Clara—; de su hermana —que en paz esté—; de su primera mujer que, ésa sí, seguro, descansa en la gloria en la que creyó: un ángel; de su hija mayor a quien la sublevación cogió en La Coruña, con su marido, y de los que nada sabe. Todas esas mujeres a las que nunca supo imponer su voluntad, él, tan hombre de bien.

La llegada de las tropas franquistas a las goteras de Madrid le reafirmó en sus designios; más cuando tuvo su casa por talanquera. Ésta era la suya. De ahí no le iba a sacar nadie, y puestos a ir mal las cosas —lo que no le cabía en la cabeza— como nicho tampoco era de despreciar.

—De aquí no me saca nadie.

Se sentía seguro, frente a tanto enemigo. No era de veras la primera línea, pero la sobrepasaba, allá a sus pies, siguiendo el Manzanares.

—¡Cualquiera lo hubiera dicho cuando compramos la chabola!

A veces invita a algunos compañeros a disparar contra los rebeldes. El hambre es mucha; pero, de cuando en cuando, cae alguna bota de vino.

—¿Tú qué crees?

—Que las cosas van mal.

—¡Qué han de ir mal! Cuando peor se pongan, mejor. Los franceses no pueden dejar que aquí ganen los alemanes. El día menos pensado se descuelgan con material y verás lo que es bueno.

—¿Por qué dejaron que nos echaran de Cataluña, y, yendo más atrás, de Irún?

—No es lo mismo.

—Dicen que Besteiro está en tratos con los de enfrente.

—Mira, Silvio, tengamos la fiesta en paz. No porque te haya dejado mi asiento frente al linotipo te vas a creer con derecho a venir aquí, a mi casa, en mi casa, cara a cara, a insultar a don Julián. Será lo que sea, y ya sabes tú lo que me costó irme a última hora con los de Largo Caballero; pero don Julián, es don Julián.

Tres estampidos de cañón.

—Ya hacía días que no entraban en danza.

Aviones —tres.

—Nuestros.

—¿Vuelven?

—No sé.

Los pájaros dan vueltas sobre Madrid.

—¿Qué pasará?

Un tiro suelto, cerca. No se ve a nadie en la parte contraria: las suaves lomas —los árboles desnudos del invierno, talados por la metralla—, la planicie, parecen desiertas.

Fidel Muñoz no puede suponer que los suyos pierdan la guerra. Se perderán batallas, terreno, gente, pero lo que es ganar la guerra, ¿quién lo duda? Él, desde luego, no.

La casa está hecha polvo: de acuerdo, pero los escombros sostienen lo que queda. Parece hecho adrede; los cascajos llegan hasta el primer piso, frente a la Casa de Campo, resguardando el interior, dejando libre «el observatorio». Allí ha alineado sacos terreros que por fuera no se ven, dejando unas aspilleras «de cojón de mico». Se tiende frente al paisaje enemigo y a poco que algo se mueva, dispara. Tumbado, apuntando, el señor Fidel Muñoz se siente seguro. ¿Quién dijo miedo?, y, menos, ¿quién duda de la victoria final?

A veces pasa a charlar con él Vicente Dalmases, del Estado Mayor de la VIII División del Segundo Cuerpo de Ejército —que está en el Pardo—, enlace con la VII que guarnece parte de la Casa de Campo. Le coge de paso. Suele dejar su moto en lo que queda del comedor.

—Aquí está segura —dice palmoteándola como si fuese el anca de un caballo.

Vicente, veintitrés años, gran nariz, nervioso, parece mayor. A veces, si hay con qué, comen juntos. ¿Qué les une con tantos años de por medio? Cuando Vicente —fumando cuanto puede, que no es cada día— habla de Asunción —que está en Valencia hace cuatro meses— al señor Muñoz le parece que le habla de su hija mayor. Sin pensarlo siente que le hubiera gustado un yerno como Vicente, a pesar de su comunismo.

—No nos damos cuenta de cómo nos hemos amoldado a vivir entre ruinas. Antes las paredes tenían esquinas, ahora todo está hecho polvo, todo son curvas, porquería, desecho, basura y, sin embargo, nos parece natural.

—Porque lo es, como la guerra. Hay más guerras que longanizas. Siempre hay guerras.

—Y las habrá, ¿no?

—A usted lo que le gusta es la guerra en sí.

—¿Qué dices, condenado?

—A usted le tiene sin cuidado quién gane.

—El que se va a ganar una buena eres tú.

—Para usted la perra gorda, don Fidel.

Vicente le habla de usted por la edad. A veces se divierte molestándole, sin más razón que la ternura.

El viejo se siente impotente frente al mozo, entre otras cosas por la inteligencia, la agudeza, el entusiasmo y porque Vicente Dalmases da muy cerca del meollo de sus reacciones. ¡Qué tino! —se dice Fidel Muñoz—, olfato de mastín...

El día de mañana, cuando hagamos la revolución...

A ninguno se le ocurre que están haciéndola o intentando hacerla, defendiéndose.

—A usted le importan Besteiro, Prieto, Negrín o Largo Caballero.

—Como a ti los tuyos.

—Niégueme que se encuentra bien aquí...

—A ver si te creees que estar listo a recibir un zambombazo en cualquier momento...

—No me contesta.

—Sí te contesto.

—Tome una lata de sardinas.

—Se agradece.

Vicente no se acuerda de su padre ni de su casa ni de la Escuela de Comercio de Valencia ni del fútbol ni de sus siete hermanos, de los que sabe poco. Su padre, el registrador, debe haber pasado a Francia. ¿Cómo? ¿Dónde? No lo sabe. La guerra tiene de bueno que no se piensa en nada. Sólo en Asunción, pero tampoco piensa en ella: se acuerda, la siente, la necesita, la quiere.

—Me han prometido que iré dentro de tres días.

—¿A Valencia?

—Sí.

—¿Una semana?

—¡Quiá! Cuarenta y ocho horas y gracias. Y porque tengo que llevar unos papeles.

Con el índice derecho se ensancha el cuello de la camisa antes de hacerlo con el izquierdo. Suena un tiroteo. ¿Dónde?

—Oye, tú...

Les llama la atención: por el oído parece que estuvieran luchando en la retaguardia. Rectifican. Ven visiones.

—¿Qué pasará?

Miran al cielo cubierto.

—Son los de antes, nuestros, dando vueltas.

Vicente prefiere no decir nada. Ha aprendido a no discutir.

—Me voy.

—Pero...

—Me esperan.

No le esperan pero sabe que le van a necesitar. Tras echar un vistazo al frente, quieto, muerto, Fidel Muñoz acompaña al joven hasta los Bulevares. Cuando Vicente Dalmases monta y dobla la primera esquina, el viejo linotipista regresa a su casa.

3

Antes de ir al Pardo, Vicente decide pasar por casa de Lola. Huele lo que va a pasar y duda de que pueda volverla a ver antes de mucho tiempo.

Con la motocicleta tardará cinco minutos. La cuestión: que esté. Vive en la calle de Luchana. ¿La volverá a ver? Oye el tiroteo lejano. Lola y la guerra. Lola y los últimos días de la guerra. Firmes los manillares en las manos. Las sacudidas, los baches. Despedirse de ella. ¿Despedirse de ella? No. Despedirse, sin que se dé cuenta. Algún día tendrá que ser. Va demasiado de prisa.

Desde que llegó a Madrid, los primeros días de noviembre de 1936, Vicente casi no ha salido de la capital: dos meses en el frente de Extremadura, con Julián Jover, ya comandante, que se empeñó en llevarle de comisario político. Su poca facilidad de palabra, que su amigo le aseguró sin importancia, y no pudo vencer, le hizo renunciar a un puesto que, por otra parte, le gustaba. Estar en contacto directo, constante, con los hombres, resolver sus problemas, a los veintidós años, le hacía sentirse mayor; algún viaje a Valencia para llevar y traer órdenes; lo demás

ha sido ir de una parte a otra de la capital: del Campo
del Moro al Jarama, de Carabanchel a Villaverde, del
Puente de San Fernando a la Marañosa, de la Ciudad
Universitaria a Las Rozas, de Vicálvaro a Vaciama-
drid, de todas partes al Pardo, oficial de enlace, teniente hacía un año, capitán desde anteayer.

—Para ascender hay que ser comunista —le
dijo, amargo, Rigoberto Barea.

Asunción había estado con él hasta que el Partido Comunista determinó enviarla a Valencia para
organizar una colonia de refugiados. No valieron las
reiteradas intervenciones de uno y otra.

—Asunción es valenciana.

—Yo también.

—Tú haces falta aquí; tu mujer allí.

—Pero ¿es que no puede ir otra?

—Con sus condiciones, no.

Había dado pruebas de su eficacia en un refu-
gio instalado primero cerca de San Andrés, trasladado
luego a la Castellana.

—Para lo que os veis...

Vicente no contestó, le hubiera escupido. Verdad que se veían poco, pero se sabían cerca. Asunción vivía en un cuarto abuhardillado, desde cuya
ventana se enfilaba la ancha hermosura del Paseo de
la Castellana, sus árboles heridos de la guerra. Pasaron allí las noches completas de las que ambos pudieron disponer. Pocas, en dos años; suficientes para
aprender de consuno lo que era el amor. Pero raro
fue el día en que, a una hora u otra, aunque sólo
fuera un instante, no pasara Vicente a verla.

El pelo, casi albino, de la muchacha, había venido a dorado, igual que su timidez tomó, inesperada-
mente, un tono de mando. Maduró en pocos meses
—en todos los sentidos—. La guerra es un abono
como hay pocos. Un bache. Otro, más duro. No es

momento para componerlos. Ni ahora ni nunca, tal como están las cosas. Asunción. Lola. Si no está le dejaré recado a don Manuel, al que, quieras que no, tienen medio escondido.

Don Manuel, el *Espiritista,* calvo, con acento francés, de origen, nunca volvió a pisar su tierra natal ya que así se lo ordenó, hacía mil años, don Germán, su Ángel de la Guarda, hablando en cristiano.

A los treinta y tantos años, don Manuel, representante de jabones, afeites y perfumes, de la casa Pivert, de París, tuvo la Gran Revelación que le llevó, por diversos vericuetos, a chamarilero y vendedor de libros esotéricos. Su conversión data de la desencarnación de su mujer, en 1913, en una fonda de Granada, cuando la difunta, en la soledad del velorio, se le apareció para consolarle y hacerle partícipe de la Verdad y le presentó a su protector.

—A todo recién nacido —le explicó éste—, por el hecho de haber visto la Luz, le acompaña un desencarnado, su homólogo espiritual, en su caso, un servidor —Germán Groseille—. A la edad que sea —días, años o siglos después— recibe la luz verdadera, por orden de Jesucristo, y otro protector más instruido. Cuando el segundo protector recibe orden de reencarnarse, su protegido se convierte automáticamente en protector de alguien que acaba de recibir la Luz, pero de grado espiritual inferior; así hasta la consumación de los tiempos.

Le iban a fusilar, con todas las de la ley, el 6 de enero de 1938. Según don Manuel, su puesta en cobro se debió a la intervención de los Reyes Magos, aunque, en verdad, fue a consecuencia de tres personas que poco tenían que ver con la divinidad; en primer lugar Félix Moreno, que contó el caso en la Alianza de Intelectuales.

—¡Qué bárbaros!

—¿A quién se le ocurre ser espiritista durante la guerra?

—La verdad es hija de Dios —dijo Bergamín.

Don Manuel, denunciado como espía, no negó estar en relaciones muy seguidas con personas del otro mundo, lo que bastó a la patrulla que le detuvo. En el juicio no intentó defenderse. No le importaba desencarnarse, teniendo en cuenta que hacía dos meses don Germán se mostraba renuente. Intentó, eso sí, como era su deber, convencer al Jurado Popular.

—Jesucristo es el único ser que posee el poder de la divinidad sobre la materia —le espetó cuando le preguntaron si tenía algo que añadir a lo alegado por su defensor de oficio que, con buena fe, intentó hacerle pasar por demente—. Si Dios hubiese conservado para nosotros nuestra pureza original habría creado un mundo perfecto y sin objeto, cuando, por el contrario, su meta es purificarnos, con la obligación personal de reconquistar la perfección, que sólo conseguiremos a base de sucesivas trasmutaciones. Inútil me parece decir al respetable Jurado cuánto les agradeceré que apresuren mi próxima encarnación, aun indigno de tan inmediata y grande felicidad.

Los doce jurados —Rodolfo Martínez, cuarenta años, convaleciente de un cólico nefrítico, capitán de milicias y ex fontanero; Paula Ortiz, de la Cava Baja; Enrique Ramos, estudiante; Solón Gutiérrez, arquitecto y grado 33, de setenta y ocho años; Luis Peral, del ramo de la madera —así, en general—, manco de Brunete; Sofía del Toro, lavandera; Rodrigo Aleixandre, músico a lo que decía; César García Olmos, camarero retirado —se dividieron: seis teniéndole por majareta, los otros por simulador.

—O lo echamos a la calle o lo fusilamos. Aquí no hay términos medios.

—Ni aquí ni en ninguna parte —aseguró el carpintero, que era de ideas bien establecidas.

—¿Por qué? Con tenerlo en la cárcel hasta que se acabe esto...

—¡Ah, sí! Y mantenerlo: como si sobrara comida en Madrid.

—Con la gazuza que tengo —comentó Sofía, flaca reciente, de noventa kilos en tiempos floridos.

El pronunciado acento francés del enjuiciado ayudó a decidirse a algunos indecisos, sobre todo a Solón Gutiérrez, que tenía muy presente el 2 de mayo.

—Tanta jerigonza de Dios y el alma —dictaminó Rodolfo Martínez, Primer Jurado que hacía las veces de Presidente— evidencia su concusión con los *fachas*. A lo mejor es cura.

—No lo creo —adujo Paula Ortiz.

—¿Por qué? —preguntó Enrique Ramos, que no había abierto el pico, sobrecogido por la ocasión primera que se le ofrecía de juzgar a un semejante.

—Es calvo.

—¿Y eso qué tiene que ver?

—¿Y la barba?

—Para despistar.

—No conozco ningún cura calvo.

—Debe haberlos.

—¡Ninguno! Algún pastor protestante, no digo que no.

—A lo mejor lo es.

—Lo que yo creo es que ese tío nos está tomando el pelo que no tiene.

Félix Moreno contó el suceso a Vicente Dalmases, éste a Rigoberto Barea, comisario político de la brigada de Cipriano Mera, pelirrojo, anarquista, andaluz, vegetariano, con sus pujos de ensayista, todavía convaleciente de un famoso combate cerca de Boadilla del Monte, cuando el ejército republicano perdió Húmera, Pozuelo y Aravaca. Fue de los que restablecieron la situación gracias al coraje que, de pronto, transformó la huida en determinación de no dar un paso atrás. Allí se quedaron con entereza. Rigoberto contribuyó en cuanto pudo, insultando a los que se batían —es un decir— en retirada.

—¿Es que no sois hombres? —se desgañitaba con su cara pecosa de panquemado, plantado en la cuneta, pistola en mano con el vozarrón que heredó de su madre, vendedora de pescado—. ¡Maricón el que no se plante a mi lado!

Conocía a don Manuel. Llegó a tiempo para hacer revisar rápidamente la causa, a la que concurrió como testigo. Al salir le presentó a Vicente.

—A este joven le debe la vida.

—Ya lo sabía.

Los ojos azules claros de don Manuel se fijaron en los oscuros de Vicente.

—¿Por qué no se defendió? ¿Por qué no negó ser espía de los *fachas*?

—¿Para qué? Nadie respeta los mandamientos de la Ley de Dios. Los hombres lo perdieron todo con la inocencia.

Vicente se quedó estupefacto, no había tratado a nadie de esta especie. Sin contar que los ojos del espiritista no se separaban, en lo posible, de los suyos.

Entraron en un café. Rigoberto se despidió, debía pasar revista médica.

—La última, espero.

Don Manuel no le dio las gracias. Se dedicó al otro:

—El mundo está lleno de espíritus impuros, repletos de malicia y perversidad cuyo gusto es hacer el mal. Claro, usted no cree en nada de esto.

—¿Qué es «esto»?

—Que Jesucristo resucitó porque la muerte no existe, que es el encargado de la contabilidad y de la clasificación de los desencarnados.

—La verdad...

—Soy uno de los pocos privilegiados que han podido observarlo, con estos ojos que le están mirando. Jesucristo y sus servidores, entre los cuales soy el más humilde, constituyen las fuerzas del Bien, en oposición a las del Mal.

—¿Por qué no los derrota?

—Son misterios que no puedo revelarle.

Hacia 1928, tuvo don Manuel otro Dios: Joaquín Costa, que le hizo interesarse por la historia presente, pasada y futura de España. Hizo lo posible por comunicarse con el hombrón de Graus, sin resultado: se mostraba reacio. El *Espiritista* se consolaba leyendo el *Colectivismo Agrario en España,* la *Fórmula social de la agricultura española,* y sobre todo, *Viriato y la cuestión social en España en el siglo II a.d. J.C.* y *Crisis política de España.* Inútil decir que el Cid —siguiendo al aragonés— era su paradigma. Se extrañaba de que los españoles hubieran echado en olvido tan formidable personaje «que había resuelto todos los problemas nacionales». Para el *Espiritista,* la jura de Santa Gadea representaba lo más que puede alcanzar el hombre. Llegó a sospechar, sin que don Germán soltara prenda, haber estado presente.

—¡Un nuevo Cid! —clamaba—. Un nuevo Cid es lo que nos está haciendo falta.

Cuando, con la República, apareció Manuel Azaña en el ruedo político, se figuró ver en él a su héroe redivivo. Se desencantó al saberlo escritor.

A poco se dejó arrastrar por la oratoria de José Antonio Primo de Rivera. Su detención y reclusión en la cárcel de Alicante le parecieron inconcebibles. ¿Cómo —se preguntaba—, con los poderes sobrenaturales que naturalmente deben asesorarle, no halla manera de remontarse a las nubes, apareciendo como un nuevo Santiago? Creyó después en Juan Negrín hasta que sus voces cristalizaron en Vicente.

—Ya verás cuando lo conozcas —repetía a su hija—. Ya verás. Un nuevo Cid.

El antifascismo de don Manuel no se definió sino hasta el llegar de las tropas franquistas a los aledaños de Madrid. Hacía diez años que el chamarilero había logrado comprar en Getafe una casita (dos cuartos, una cocina) con un jardín bastante grande. Allí había campado a sus anchas dando curso a sus aficiones artísticas, difíciles de definir. Jardinero no lo era en la acepción vulgar de la palabra. No le importaban cuarteles, arriates, siembras ni el podar. El injerto era arte extraño al adornista que era de raíz, si por ello se entiende incrustar, plantar, pegar en tierra, macizos, tableros, platabandas, bancos, paredes, toda clase de pedruscos, botones —de nácar con preferencia—, restos de platos, azulejos, botellas; disponer en troncos, tallos, ramas, tablas, trozos de madera: latones, anuncios, calendarios, tapas de cajas de hojalata, formando las más disparatadas representaciones. Solía fijar en las ramas y vástagos de los arbustos y en varas, horcajaduras, nudos de los tres árboles, restos de objetos de loza, porcelana o bizcocho que su negocio le proporciona a manos llenas. Las cortezas aparecían pobladas de campanas, jaulas, figurillas desportilladas, muñecas tuertas, mancas o cojas, botellas, tapones, hojas de afeitar, navajas y cuchillos rotos. Otros raigones, tallos, troncos, leña, recogidos en la Sierra, traídos con cuidado, una vez desfollados fueron adornados a ojo de buen cubero con tapones, grifos, cápsulas, tiestos, trapos, alambres, pedazuelos de vidrios, representando variantes aproximadas de diablos, caballos, máscaras de carnaval, seres fantásticos o monstruosos, todo ello, si a gusto del artista, al azar de la materia. El suelo de las calles aparecía, a trozos, caprichosamente adornado de culos de botella. En un ángulo, un loro de verdad; en otro, un lechón que engordaba por el gusto de hacerlo. Paseábase por Allí *Julio,* pavo real venido a menos, o a más, en un precioso búcaro verde con flores doradas y rosa en el que don Manuel plantaba, con sumo cuidado, las plumas desprendidas de la espléndida cola.

En el centro del jardincillo, en forma y figura matemática del infinito, una balsa de cemento, adornada con tiestos vidriados de cerámica, albergaba media docena de peces de colores. Añadíanse —máximo orgullo— tres observatorios con sus terrazas de forma y altura dispar —tres, cinco y siete metros—, cubiertos con vidrios de colores. Los había alzado solo, en cinco años de trabajo, y fueron el primer blanco de la artillería nacionalista. Jamás lo perdonó.

Don Manuel pasaba en Getafe los domingos, de crepúsculo a crepúsculo, sin importarle sol, lluvia, frío o calor; limpiando, construyendo, pegando, rectificando, estudiando desde varios ángulos la colocación de los nuevos elementos reunidos durante la semana.

Con el enemigo ocupando su Edén, don Manuel, echado del Paraíso, anda y desanda por su piso madrileño, alma en pena, acumulando nuevos objetos para el día de mañana. Los bombardeos le proporcionan mil residuos que coloca idealmente en un ángulo u otro. Se las promete felices cuando «gane la guerra»; para conseguirlo hace cuanto está de su parte y en las fuerzas de su magín, en comunicación constante con sus aliados del otro mundo: Bertrand du Guesclin, Lafayette, Murat, Foch, que le prometen victorias y venturas bajo el mando de Vicente. Por no apartarse de él y de su jardín no quiso salir de Madrid.

—Pueden matarle cualquier día. Una bomba...
—aduce Vicente.

—La muerte no existe.

—Claro, desde este punto de vista...

Don Manuel es alto, enjuto, de gran bigote y barba de chivo, calvo, de voz meliflua. Tuvo por dioses, antes de su total dedicación a la su nueva fe, a Bizet y a Delibes —sin contar, naturalmente, a Víctor Hugo—. La Ópera Cómica, de París, era entonces su Olimpo, no sin que Raphael Bourdenaux, violín segundo, insistiera en que leyese algún texto acerca del más allá, tan a mano, aseguraba, como cualquier partitura.

—La cuestión es descifrar. Además, Víctor Hugo...

Bourdenaux, primo del suegro de Manuel, era, por ley, tío de Denise Martinon, insignificante, dulce rubia tonta que casó con el viajante de perfumería por la seguridad «de que no le haría daño». España la sobrecogió. Tras parir (Lola nació en Barcelona, en 1912), asustadísima de tener la criatura, murió en aquella fonda de Granada, consolando a su marido con la Gran Revelación. La niña se llamaba oficialmente Dionisia, como su madre; pero a raíz de la muerte de ésta, su padre le puso Dolores.

Lola, morena como lo fue en tiempos muy pasados su padre, creció en Madrid sin tener de francés más que el apellido y aun ese desapareció, ya que Bertrand se convirtió al correr los años en Beltrán. Tran pronto como tuvo uso de razón, el concienzudo espiritista hizo lo posible para que participara de sus creencias. La niña se mostró renuente, no por lo que le enseñaban las teresianas, donde aprendía las cuatro reglas, sino porque la parecía que su padre no estaba en sus cabales. Se avergonzaba de él ante sus compañeras, y de sus propios trajes, siempre con un detalle estrafalario obligado por el gusto de su progenitor. Sin contar el acento gabacho del que nunca se pudo desprender el buen señor y que Lola no heredó. La niña nunca quiso darse cuenta de que su padre era un alma de Dios, simpático, que agradaba, de veras, a sus amigas. Si se lo decían, lo tomaba a burla.

Lola estudió el bachillerato con facilidad si no con brillantez sin contar que, por entonces, en los bancos de un Instituto el ser mujer redundaba en condescendencias.

Llena de salud, más que bonita, hermosa; la nariz demasiado ancha, los labios gruesos, todo ojos castaños con destellos de miel, se independizó lo mismo de su padre que manteniendo a distancia a cualquier muchacho que le mostrara afición. Desconfiando de todo, adquirió un tono mordaz, muy lejos de ser auténtico. Gustaba herir, por defenderse de no sabía qué. Sin que su padre se lo pidiera decidió ocuparse de sus negocios, que pronto mejoraron. Cambiar y contracambiar, canjear a toma y daca ganado, le encantaba. Cambalacheaba por hacerlo, ojo avizor. Si le engañaban en lo más mínimo, lo huraño no se le quitaba en días. Leyó mucho, que no eran libros empeñados los que faltaban en la tienda; las novelas pornográficas acrecentaron su desprecio por los hombres.

Con la guerra fue otra cosa: el negocio daba para poco. Lola, en la Casa de Socorro del barrio, diose a ser útil y lo fue. Don Manuel se paseaba impasible entre los horrores del sitio buscando despojos para su jardín.

—Los muertos, como los llamáis— asegura a su amigo Enrique Almirante, que le aguanta con tal de que «le eche algo de comer»—, son entidades fluidas, elásticas, imponderables, sin color, invisibles, cuya forma es copia de lo que fueron al morir. Los desdoblados no tienen frío ni calor ni hambre ni sueño ni están enfermos. Pierden, eso sí, la noción del tiempo. Lo que conservan intactas, desgraciadamente, son las pasiones humanas. Sólo los de grado superior dejan de interesarse por los bienes materiales.

—Si el alma abandona el cuerpo al morir —le decía Vicente, cuando se aficionó al viejo y a su hija— ¿cómo habla con los difuntos?

—Por los mediums.

—Si somos reencarnaciones y la población aumenta ¿de dónde se sacan las almas que hacen falta?, o ¿por eso corren por ahí tantos desalmados?

Don Manuel no puede enfadarse con Vicente, seguro de que un día u otro le convencerá del papel fenomenal que le aguarda.

—Asiste a una sesión. A una sola —ruega tan pronto como tiene oportunidad.

—He visto su aureola —dice a su hija—. Es un guión entre los vivos y los muertos.

—No lo sabes bien —murmura le desvergonzada.

—¿Qué?

—Nada. Me voy a dormir.

Solo, el viejo recurre a su bodega. De francés le queda ante todo el gusto del vino en las comidas. Luego se fue aficionando a tomarlo antes y después. Remoja sus elucubraciones, atolondrado del zumo pero jamás encharcado en aguardiente. Da un golpe a la botella; éntrale el morapio hasta lo último de las venas, anticipo del futuro. Bebe con tasa: tomado a medias del vino y sus ideas, cargábale pronto el sueño. Con los años se dejó vencer apaciblemente de la pasión poniendo los labios secos a la corriente del alcohol. Así se envició con el buen uso de la sustancia de la uva. Lo mismo le daba tintorro, tintillo, dulce, seco, valdepeñas, priorato, cariñena, burdeos o borgoña, si estos últimos se hubieran podido conseguir. Con tal de que fuera vino, bueno.

Ni ebrio ni beodo, levemente embriagado, alegre sin llegar a la borrachera, tropezaba menos en las erres que en su sano juicio. Calamocano, alumbrado, jamás hecho una uva, ditirámbico de lo suyo y del más allá, se veía dando los pasos necesarios para su inmediata inmortalidad, sintiéndose ya en otro mundo al que entraba por el ancho portal del sueño.

—El beber, el emborracharse es cosa de viejos. Ya ves Noé. Llega un momento —en la vida pasajera— en que al hombre sólo le queda el vino. Lo demás son lujos inútiles, como todos los lujos, menos el arte. (El arte de Getafe.) Los jóvenes que beben y se emborrachan son viejos antes de tiempo. La vid y la vejez. Y que nadie lo note. Mi hija, ni lo huele.

Eso cree; Lola jamás le dijo palabra de ello, por respeto e indiferencia.

—Por algo se llama al vino la leche de los viejos.

Enrique Almirante asiente, al arrimo.

4

Primero se reunieron en un café de la calle de Carretas, luego —cuando el Gobierno abandonó Madrid— en un palacete de la Castellana, casi en la esquina de la calle de don Ramón de la Cruz, del que se había incautado, no sin trabajos, la Confederación. En los últimos tiempos se les unían Eduardo Val, Manuel Salgado, González Marín y José García Pradas. Les amalgamaba su odio a los comunistas que cristalizó el que antes sentían por los socialistas. No valían, más que para reafirmarlo, las templadas objeciones de Ramón de Bonifaz que, desde el principio de las hostilidades, se había quitado la partícula que Rafael Vila le recordaba de cuando en cuando:

—Ya habló el aristócrata.

Rafael Vila

Alto, bigotudillo, con gafas, de buen porte, familia bifronte, de un lado respetable, por otro una hermana no tanto, que pesaba en el recuerdo por ser la preferida; eso sí: arruinadísimo por ambos lados desde hacía tiempo. Del pasado sólo le quedaban gustos señoritos: cigarrillos ingleses, whisky, corbatas londinenses, zapatones de idéntica procedencia, sin contar las telas de sus trajes, con grave desdoro para las de su país, que defendía feroz en cualquier otro aspecto. Esta manera de enfocar el problema de los tejidos de lana —de los de algodón nada tenía que decir— de Sabadell, de Tarrasa frente a los de las Shetlands fue una sepina que nunca se pudo arrancar, teniendo en cuenta el infinito amor a su Cataluña natal y a su lengua. Se desquitaba afirmando, sin permitir objeción, que no había *tortells* como los de Esteva Riera ni longaniza como la de Valls ni melocotones como los del pueblo de su madre, que en paz descanse.

Siempre había de ser más que nadie, en la vanguardia, en la punta. Veintidós años en 1936, habiendo leído todo «lo más avanzado»; como el ser comunista le sabía a poco se hizo trotskista, que, a sus ojos, era lo más de lo más. Nunca dejarían de tener razón los más adelantados y, ya que el mundo rodaba hacia la izquierda, allí había de estar Rafael Vila.

Con la guerra, primero en el frente de Aragón, luego en Teruel, ahora en Madrid, le había tomado gusto a las armas de fuego, afinando de tal manera la puntería que se había convertido en su máximo orgullo.

Los anarquistas lo adoptaron después de los sucesos de mayo, en Barcelona, en los que tomó parte.

Rafael Vila, alto, bigotudillo, con gafas, peroraba horas y horas, capaz de denunciar al lucero del alba, con tal de hablar mal de quien fuese. Además, ¿qué valía algo como no fuesen aquellos *tortells?*... Y, ahora, ni eso existía ya, se lo aseguraba Juan Banquells que acababa de llegar de Francia y estuvo en Barcelona hasta última hora.

Juan Banquells

Pequeñísimo, renegrido, chupado por dentro, como si en tiempos hubiese sido mayor; venido a menos, se le notaba por las arrugas que lució —es mucho decir— desde muy joven. Más allá del mundo en que vivía: desde niño su deseo fue ser mayor. Siempre quiso tener cinco, diez años más que los que tenía. «Cuando tenga quince años», pensaba a los diez, a ver si crecía físicamente. «Cuando tenga treinta», se desvivía a los veinticinco. «Cuando me muera», pensó desde que cumplió los cuarenta. Con una salud a prueba de cualquier cosa, que no fue poco lo que pasó.

Huérfano, le recogieron unos tíos verduleros —con huerta en Aranjuez— que viéndole tan poca cosa no le hicieron caso. Creció a la buena de Dios, que suele ser mala manera. Los niños de su edad, notándole tan desmedrado, abusaron de él naturalmente. Fue tres días a la escuela y no volvió. Jamás supo leer ni escribir; si algo aprendió de cuentas fue con los dedos. No carecía ni mucho menos de despejo. «Cuando cumpla cuarenta años...» Los tuvo, los pasó, siempre con el deseo de ser mayor. Casó con una infeliz, florista a lo que ella decía, de las que ofrecen ramilletes a la salida de los cafés y cabarets; se le fue con un chófer dejándole dos niños de uno y tres años. No supo qué hacer con ellos. Los dejó en la puerta del Banco de España, frente a la Cibeles, se largó a Zaragoza y luego a Barcelona. *Mediohombre* le pusieron, hasta que demostró a las claras lo contrario.

No tenía miedo, no le temblaba la mano, no fallaría. Quería hacer lo que iba a realizar, lo veía de frente y no al sesgo como el hombre que saldría por aquella puerta —el 18— al que iba a matar de cuatro tiros.

Agustín Mijares, con sus trece años, empuña la pistola con seguridad y piensa en el chasco que se van a llevar su hermano y sus compañeros. Amanece; la campana de los Dominicos tañe una vez. Deben ser las seis y media. Los árboles de la Gran Vía del Marqués de Turia pierden algo de su sombra y reflejos amarillos de la tristona luz municipal. Los macizos se recortan sobre la tierra apisonada. El viento despierta con el día, estremece levemente las ramas altas de los plátanos de Indias, sin fuerza para mover las duras hojas puntiagudas de las palmeras plantadas de trecho en trecho. Un sereno se recoge. A lo lejos, un portal se entreabre, sale una vieja con manto. El día próximo da una primera lechada al cielo. Quedan pocas estrellas. Agustín es capaz de ver todo menos esto. Enfila el paseo, fija la mirada en las aceras. Huirá por el descampado de la avenida Victoria Eugenia, atravesará la calle de Ruzafa y, tan pronto como llegue al mercado, estará a salvo. Por otra parte, a estas horas, el peligro de que le alcancen es casi nulo. Se meterá en un tranvía; llenos, desde las seis, de obreros que van a trabajar al barrio de Sagunto. Si le persiguen echará la pistola en el solar contiguo a la casa de don Rafael Recaséns. Pero no cree que sea necesario. ¿Quién sospechará de él?

El portal es alto, ancho, con una hermosa verja garigoleada. El timbre luce su cobre en un círculo de mármol verde veteado de blanco. Tras el hierro forjado, un grueso cristal. Don Rafael Recaséns sale a las siete de la mañana para ir a la fábrica. Va a pie. Todavía de buen ver.

En casa de Agustín Mijares, mejor dicho: en casa de su hermano, han estado discutiendo durante la noche los detalles más nimios del atentado. Seis esperarán al patrón apostados cerca de la verja de la fábrica. Le siguen los pasos desde hace quince días. Agustín, pegado a la puerta de su cuarto, oyó el orden, si no del día, de la madrugada, y decide hacer él solo lo que tanto trabajo parece costar a seis bragados de la F.A.I.; primero porque le parece sencillo, luego por ver la cara que pondrá su hermano Manuel al enterarse.

Su primer atentado. Sabe que no será el último. Le parece natural. Lo es, para él.

Agustín nació el 8 de abril de 1907, en la calle de En Bañ. Su padre murió diez años más tarde trágicamente: su madre con un balazo en la frente. Manuel, su hermano, mayor de doce años, lo llevó a rastras: vivieron en Barcelona. Hace poco han vuelto a Valencia. Manuel es del ramo de la madera, como lo fue su padre. Trabaja de cuando en cuando si no anda escondido, que es casi siempre, o en la cárcel, que es muchas veces. Entonces Agustín queda al cuidado de algunos de sus compañeros. Recuerda tres casas en Barcelona, una en Granollers, otra en Castellón. El mundo está formado por patronos y obreros; los patronos en combinación con la policía y la Guardia Civil (el Gobierno en lo alto) matan a obreros a mansalva; éstos se defienden como pueden. Como son más y tienen razón acabarán por vencer, no importa que caiga el que sea.

Lo que Agustín no acaba de comprender es cómo siendo tantos los obreros, y teniendo tantas razones para hacerlo, no se levantan todos a la vez y arrasan en un momento a sus enemigos. Le parece que falta organización. Cuando sea mayor y le escuchen pondrá orden en todo. El problema se puede resolver en veinticuatro horas si cada pobre se encarga de acabar con un rico. Y sobrará tiempo. Después, la vida será fácil y agradable.

Ramón de Bonifaz

Solía acabar sus conferencias en los Ateneos libertarios diciendo, sin hacer gracia:

«El hombre es un ser bastante despreciable. Lo echa todo a perder, no comprende nada; desagregadecido, poco admirador de lo que vale la pena. (De mí, pensaba; si todos me rindieran la pleitesía que merezco, no habría problemas.)

»Así, pues: vengan guerras. ¿Qué razón hay para que no las haya? Siempre fueron, una tras otra y, a veces, a la vez. ¿Entonces? ¿Es que el hombre es mejor, es que mejora, es que alguien ha notado la mejoría? Si fuese así, me gustaría saberlo. No, compañeros, no: todo está como estaba, sólo que multiplicado. Hay más imbéciles, más idiotas, más gente despreciable, más envidiosos, más gente haciendo el amor porque no piensan por qué lo hacen, más brutos, más animales, más hombres crueles. En cambio, el número de sabios no aumenta, el número de genios es constante. Sólo la bazofia se multiplica. ¿Tenéis algo que decir?»

Nadie replicaba. Don Ramón de Bonifaz, envolviéndose en una especie de toga, salía, superiorísimo. Al llegar a su casa le pegaba la tunda correspondiente a doña Berta y dejaba sin cenar a sus hijos más pequeños —a veces tres, a veces cuatro— sin más razón que la que aprendieran cómo es el mundo y la justicia de los hombres.

Muy mirado, escrupulosamente limpio, gran admirador de Inglaterra, avaro y hasta guapo. Protestante, desde luego.

Nació el 85, estuvo en Alemania de 1905 a 1908, pensionado los últimos meses por la recién fundada Junta de Ampliación de Estudios. A indicación de Julián Besteiro, que se la recomendó, se acomodó en una pensión berlinesa (la misma de la que salieron casados Luis Araquistáin, Julio Álvarez del Vayo y Agustín Viñuales, que tanto fueron con la República); vivió un gran amor, desgraciado por su afán y respeto del dinero. Nunca lo perdonó, ni a Besteiro ni al capital.

—A Besteiro lo arrinconaron; en la Presidencia de las Cortes, pero lo arrinconaron.

Ramón de Bonifaz sabe muchas cosas; anárquicamente, pero las sabe. Griego, latín, sánscrito entre otras mil. Confuso, le gusta la confusión. Escribe de todo, poco, pero variado. Empezó colaborando en *El País,* el periódico republicano de la época. Luego fue deslizándose hacia los ácratas. Ha publicado dos novelas cortas, son seudónimo, haciendo la apología del amor libre, que no practica.

Los anarcosindicalistas le respetan. Dio clases particulares de economía, derecho comparado y esperanto. Con la guerra se descubrió un subconsciente castrense y facultades estratégicas. Ha rodado por varios Estados Mayores confederales con suerte varia, sin dejar de escribir en los periódicos de la Organización. A su regreso de Alemania había hecho, sin éxito, oposiciones a cátedras.

Enrique Almirante

—En el mundo, comprendes, hay algo que está mal hecho. De raíz. Desde el principio. ¿No has visto nunca esas manadas de bueyes o de terneras o de corderos que llevan al matadero para que al día siguiente estén convenientemente abastecidas las carnicerías? *Imagen espantosa de la muerte.* ¿Qué daño han hecho esos animales? Y van a morir para ser comidos. ¿Hay algo más horrible? Mírales los ojos. Ya sé, dicen: «Es la vida», por no asegurar, por miedo, lo contrario. Lo que hay que hacer —para darse cuenta de lo que somos capaces— es mirar los ojos de los hombres... Desde un punto de vista moral la vida es una porquería. Defendemos a un perro, a un niño, a un caballo para comérnoslo mejor. No tiene el menor sentido.

Madrileño, vendedor de cordones para los zapatos y de horquillas para el pelo, anarquista desde antes de nacer, se ha enternecido con los años y la mala vista que le enroje crónicamente los párpados. Al principio, en una patrulla de control, hizo algunas cosas que quiere olvidar.

—¿No ha visto nunca camiones de terneras yendo al rastro? ¿No ha visto nunca sus ojos? ¿O corderos? ¿O conejos? ¿No se ha fijado nunca en los ojos de los perros? Claro, usted se los come —le suele decir don Manuel, el *Espiritista.*

—¿Y queréis que esto tenga arreglo? Mientras alguien coma carne, mientras se sacrifiquen animales, el mundo no irá a ninguna parte.

Magro, desorbitado, el cuello de la camisa siempre sin abrochar, más bien sucio.

—Eres un idiota —le retruca Vila—, te confundes con tus carneros. Ellos no saben que van a morir.

—Eso crees tú, que no tienes ojos para ellos. Si no lo saben, lo sienten, lo huelen; míralos. Los animales son mucho más inteligentes que los hombres:

nunca se confían de buenas a primeras. Hay que demostrarles las intenciones. Y luego, según...

Rafael Vila y Ramón Bonifaz trabajan en la redacción de *C.N.T.*, Juan Banquells ha venido a ser policía, Agustín Mijares, fue capitán de la división que manda Cipriano Mera, Enrique Almirante cambalachea, consigue víveres, a veces los revende.

—Claro que nos levantamos en contra de Negrín —clama García Pradas—. ¡En contra de Negrín y de los comunistas! ¡Claro que sí! ¿Qué defienden? ¿Qué querían implantar aquí? ¡El retorno puro y simple de lo que era España antes del 18 de julio! Aunque sólo fuera por eso tenían que fracasar.

(—¿Qué eras tú entonces? —piensa preguntarle Bonifaz, pero se calla. ¿Para qué discutir con intransigentes cuando se está seguro de estar en lo cierto? Además, ¿qué importa lo que fuera?)

—¿Y qué crees que se proponen tu Casado y tu Besteiro? —indaga Mijares.

—Por lo pronto no dejar a un comunista con mando. ¿Te parece poco? Cuando el pueblo se dé cuenta de que hay de nuevo esencias revolucionarias que defender...

—Supongo que lo que quieren Casado y Besteiro es llegar a un acuerdo con Burgos.

—Tú, déjalos.

—Ya están dejados.

—De la mano de Dios —estalla Mijares.

—¿Qué te traes tú? —sigue García Pradas—. Negar a la lucha su carácter revolucionario equivale a desmoralizar a los combatientes. Los comunistas han hecho gastar al pueblo casi tantas energías para oponerse a sus propósitos dictatoriales como las que le ha costado enfrentarse a Franco. Su enemiga a la revolución no ha servido más que de apoyo a la burguesía internacional para boicotear a la República.

—Me parece una frase un tanto confusa —apunta con sorna Bonifaz—. Y, sin embargo, concedo que así es.

—Sin hablar de la movilización «de guerra». ¿Movilización de qué, cuando no hay fusiles para un treinta por ciento de los soldados y tenemos más de cien mil en holganza forzosa? Frente a este desatino de la «unión de todos los españoles contra la invasión fascista», nosotros, los anarcosindicalistas, recabamos lo que hemos dicho siempre: sometimiento de los rebeldes y expulsión de los invasores. A ultranza.

A Agustín Mijares le brillaban los ojos:

—¡Así se habla!

—No se trata de hablar sino de hacer —recalca Val.

Ninguno duda —Bonifaz, aparte— de que, con estas consignas, el pueblo les va a seguir con renovado entusiasmo y que «del otro lado» los obreros y los campesinos no dejarán títere con cabeza.

—Y nada de «levantar la moral», sino otra cosa, compañeros.

—¿Y quién va a formar gobierno?

—El Frente Popular, menos los comunistas, claro.

Bonifaz opta por callar una vez más. Sabe, por Besteiro, al que ve de tarde en tarde, de sus conversaciones con el cónsul inglés. Están mintiendo: todos. Se mienten a sí mismos. Ésa es la política. Pero que lo hagan los anarquistas y entre ellos: he aquí lo nuevo.

—Supongo —le dice a García Pradas— que no haréis públicos estos designios.

—¿Cuáles?

—Lo de la resistencia a ultranza, por ejemplo.

—¿Por qué?

—Volverían a bombardearnos como cuando supieron que Negrín había vuelto aquí.

La noche de aquel día —hacía diez— murieron doña Berta y dos de sus hijos, hechos literalmente papilla.

Val y García Pradas dejan solos a los cinco compañeros. Casado les espera.

—Quietos aquí, os vamos a necesitar; con lo que haya llamaremos; no vayáis a salir.

—¿Es para esta noche?

—Es posible. Aunque estas cosas, a veces, a última hora... Ni una palabra a nadie, por si las moscas.

—¿Por quién nos has tomado?

Banquells se tiende a dormir en un sofá ajado. Mijares mira por la ventana.

—¿No juegas un tute?

—No. Luego.

Se sientan, alrededor de la mesa, Vila, Almirante y Bonifaz.

—Si se deciden, ¿a qué hora crees que sea?

—Después del parte.

Está cayendo la noche.

—Corre las cortinas.

Almirante enciende la luz macilenta. Tienen más de cinco horas por delante. Entra Victoriano Terraza, alto, derecho, escuálido, con pelo blanco; no parece los sesenta años que tiene.

—Hola.

Vila le pregunta, con tal de molestar:

—¿Vienes de ver a tu hijo?

Su hijo, coronel, comunista, hecho en la guerra.

—Che, calla. Me ha dicho González Marín que espere con vosotros. Ahora sí, va en serio. Vamos a ver quién es quién.

Durante años, su hijo fue su orgullo, buen sostén de su vanidad: (—¿Sabéis que ese tan sonado es mi hijo?... ¿Sabéis?... ¿Sabéis?...) músico de nombre, que ha viajado por todo el mundo, saliendo retratado en cien revistas y habla francés, alemán, inglés, italiano y, ahora, ruso. *Víctor Terrazas,* por su buen oído, excelente para los idiomas, su buena memoria, entró, en septiembre de 1936, al servicio de la delegación soviética. Con su facilidad para adaptarse a lo que fuera se hizo a la guerra como se había hecho a todo, y bien. Un día —hacía un año— cuando empezó a sonar su nombre de guerra: el *Comandante Rafael,* Victoriano Terraza fue a verle.

—Soy tu padre.

No se conocían.

—¡Ah!

El militar, reticente, no le hizo el menor caso.

—¿Quiere algo?

—No.

—¿Entonces?

—Nada.

Victoriano Terraza, viejo pistolero de la Confederación, abandonó a su mujer —difunta hacía ya muchos años— cuando el muchacho era muy niño. Luego, huyendo de la policía de la dictadura de Primo de Rivera, recasado, vivió algún tiempo en el sur de Francia. Regresó con los primeros tiros. Organizó enseguida una patrulla de control en Valencia, luego lo mandaron a comprar armas a Bélgica con otro compañero, al que despachó limpiamente al otro mundo cuando se dio cuenta de que exigía una comisión para él ¡Victoriano Terraza! Si hubiera sido únicamente para aquel triste Federico Morales, bueno, había visto otras, pero ¡para él, paradigma de honradez anarquista! Le ordenaron quedarse en París, de enlace con los sindicatos. Se cansó. Un día, hacía un año, se presentó en Madrid, con la idea de que lo que convenía era ir a Burgos, o a donde fuera, a organizar atentados contra los jefes rebeldes. No logró lo que se proponía, al principio porque no lo creyeron factible, luego, porque, vuelto a Francia con tres compañeros para pasar la frontera por Irún, dos de ellos desaparecieron, en Bayona, la noche anterior al día señalado para entrar en España.

Todos lo tienen por fantasioso; lo es. Para Victoriano Terraza lo único que cuenta es el valor personal o lo que tiene por tal: saber manejar una pistola, disparar antes que el adversario y si se le coge desprevenido, mejor: ¡que se hubiese dado cuenta! La sagacidad, la astucia, el disimulo, el engaño, perderse de vista, nadar y guardar la ropa, entran en su concepto de la valentía. Con tal de saber cuántas púas tienen un peine, va aviado. Tretero, vanidoso, tiene por sentado que nadie le puede enseñar nada. Añádese el desprecio de cuanto no conoce y el poner por los cuernos de la luna lo vernáculo y lo que vivió (nada es comparable a lo que cató). Habla con Mijares al que conoce «desde que era un *nano*».

—¿No has tenido noticias de Manuel?

Siempre le pregunta lo mismo.

—No.

Manuel Mijares —hermano de Agustín— estuvo en el frente, luego formó parte del famoso Consejo de Aragón. Nunca se han escrito. Ha debido pasar a Francia, a menos que haya muerto.

—Me acuerdo de tu padre como si lo viera entrar ahora por esta puerta. Ésos eran hombres. Fuimos juntos a la escuela de *Cantaclaro*.

Lanzado, nada le detiene ni importa. Si le conocen le dejan con la palabra en la boca. Ahora Agustín Mijares tiene tiempo por delante —cuatro horas y media por lo menos— y le escucha. ¿A quién le importa —hoy— aquel entonces? Pero hay que llenar este tiempo, muerto de antemano; hasta que los llamen. Sentados en el alféizar de la gran ventana miran, en el centro, la camilla alrededor de la que juegan al tute —fijos en la suerte— Vila, Almirante y Bonifaz. Banquells ronca de vez en cuando; le miran, le chistan. El dormido apaga por algún tiempo el bronco ruido.

—¿No conociste a José Pérez Martinón *Cantaclaro?* Tenía una academia en la calle de Numancia. Era de Marchelenes. Un caserón, unas rejas grandes a ambos lados del zaguán. Un caserón de aristócratas venido a menos, o a más, como éste. Hacía tiempo que sólo albergaba menestrales. Un patio profundo, oscuro porque la puerta del fondo estaba siempre cerrada: del otro lado había una posada. A la derecha, una escalera de piedra con una bola negra, al principio del pasamano, grande, también de piedra. Había que subir doce peldaños que daban a lo que debió ser la portería. Ahí estaban las habitaciones de *Cantaclaro*. En el segundo piso, en tres salones pequeños, estaban las clases. Las daban él y dos condiscípulos suyos. Los tres habían colgado los hábitos. Badenes y Altabás se llamaban. ¿No lo oíste nombrar nunca? Sí, hombre, sí. Héctor Altabás, sobrino del doctor Moliner. *Cantaclaro,* siendo de Valencia, parecía gallego. (Gallego y taimado son sinónimos para Terraza.) No tenía muchas cosas en la cabeza pero lo que es hablar, hablaba de lo que fuese a todas horas, de ahí su mal nombre. Y audaz. Había manejado y seguía mangoneando, bajo mano, los grupos estudiantiles de izquierda.

—¿De quién estás hablando, de Martinón o de Altabás?

—De Héctor Altabás, hombre. Badenes era de una familia humilde, de Alcira, también orador fácil. Él sí había llegado a cura. Lo que se llama un temperamento caótico, con la cabeza llena de grillos.

—Para que lo digas tú...

—No fastidies; cuando digo una cosa, el Evangelio. *Cantaclaro* vivía con una mujer como de cuarenta años, de cara redonda, siempre bien peinada a fuerza de bandolina, entrada en carnes, no muchas, pero macizas. Muy dispuesta para la cosa. Creo que tu padre supo algo de eso, a pesar de los pocos años que teníamos entonces. Tu padre siempre fue muy echado para adelante...

Victoriano Terraza habla para sí, seguro de que los demás se lo agradecen. Por eso —al segundo monólogo— nadie le hace caso. Enhebra sus recuerdos con presunción ya que lo aposentado en su memoria es lo más importante del mundo. Pasa de una figura a otra sin ilación, seguro de que saben a qué y a quién se refiere como si no hubiera pasado al tiempo; no ha pasado; lo está viendo. Siendo valenciano uno del auditorio, los antecedentes son innecesarios; Valencia fue el ombligo del mundo, por lo menos mientras estuvo allí.

—Allí conocí al *Tellina,* gran amigo de tu padre. Lo que no sabes —porque eso sólo lo sé yo— es que el *Tellina* le pegó dos tiros al *Municipalet.* En un bar de camareras, en la calle de Gracia. El *Tellina* —que era todo un hombre— se había llevado una novia del *Municipalet.* Desde la puerta le disparó dos tiros. Se fue de Valencia sabiendo que si no lo hacía el *Municipalet* lo mataría. El *Municipalet* vivía bajo de la casa de Zanón. Heredé el piso. Aquel era un mundo de hombres de verdad. Ahora los comunistas, como antes los socialistas, lo han echado todo a perder. Zanón era hijo de un zapatero de la calle del Pilar, un zapatero remendón; anarquista de los buenos. (habla de Zanón porque se sentaba —en la escuela— al lado del *Tellina.*) Zanón era pequeño, medio encorvado, con los hombros levantados; al salir de la escuela, se puso a trabajar en un taller de ebanista y así ingresó en el ramo de la madera. Por entonces, te hablo del año 15, había una lucha tremenda. Una noche aparecieron, en la Pechina, dos del sindicato acribillados a tiros. Un grupo de acción, que estaba reunido en casa de Zanón, el padre, acordó ajusticiar al patrón, que, sin duda, los había denunciado. Zanón, el pequeño, dijo que iba a hacer una necesidad: —Regreso en seguida —dijo—. Cuando volvió media hora después dijo que ya no necesitaba hacer nada porque ya estaba hecho.

(Agustín Mijares calla. Le está contando lo suyo, atribuyéndolo a otro. ¿Para qué rectifica? Sabe que a pesar de la verdad, de asegurarle que fue él quien lo hizo, Victoriano Terraza se emperrará en su dicho. No por nada sino porque acaba de espetarlo. Nadie le convencerá de lo contrario.)

Tampoco sabe que el *Tellina* está dejando pasar el tiempo camuflado en un batallón de fortificaciones, cerca de Cuenca, a las órdenes de Feliciano Benito, comisario del IV Cuerpo de Ejército. Se reconocieron en las filas; se miraron, no hubo más. Al comisario, antiguo atracador que tomó parte en uno famoso, en Villaverde, le llaman, desde hace cerca de veinte años, el *Padre Benito,* por el protagonista de *Las corsarias,* zarzuela que invadió por entonces toda España. Corrieron la legua compañías con esa sola obra, sonada por la oposición que le manifestó desde los púlpitos el clero y la letra que los estudiantes aplicaron al director de policía, Millán de Priego,

que intentó separar los sexos en los cines —las mujeres a la derecha, los hombres a la izquierda:

> *Don Millán es un un farsante*
> *Director de policía...*

además del refrán que nadie pudo ignorar:

> *Como el vino de Jerez*
> *y el vinillo de Rioja*
> *son los colores que tiene*
> *la banderita española,*

y que hubo que cambiar cuando la República, en 1931.

En la zarzuela, el *Padre Benito* es raptado por
las corsarias. Sus cofrades comentan:

—*Ya no será padre.*

—*Quién sabe, hermano, quién sabe.*

Por lo que a Feliciano Benito, muy aficionado
a las faldas, le pusieron el *Padre Benito;* se acomodó
con gusto al alias.

—Zanón tenía el pelo rizado. Lo mataron en
Barcelona, aprovechando la ley de fugas, en tiempos
de Martínez Anido. Una tarde me lo encontré en los
solares de San Agustín.

—*¿A on vas?*

—*Vaig* a la Biblioteca de la Casa del Pueblo.

—Pues yo también *vaig cap* ahí. *¿Vols prendre*
una cerveza? Así, medio en valenciano medio en castellano, como hablábamos.

—Y seguimos hablando.

—Entramos en un bar de la calle de Gracia,
a mà dreta; al fondo había un valiente que le decían el
Cubano. Era valenciano pero había estado en Cuba.
Muy negro, con bigote, en camiseta, con faja. El *Cubano* era muy suficiente, decía que despreciaba a los

anarquistas, que ahí se las daba todas; con muchos reaños. Había cuatro mesas de billar al fondo y cinco o seis jugando, entre ellos el *Allero* que acababa de salir del presidio por haber muerto a dos de los *Mahomas*. Mató a uno en la Plaza de Toros. Se pusieron a hablar mal de los sindicalistas:

—No valen un *quinzet*.

Todo por Zanón. El *Cubano*, como si no lo viera, aseguró que cualquiera de ellos —de los valientes— era capaz de hacer más que todos los anarquistas juntos.

—Son *uns* bandidos. *Fan les coses a träició.*

Lo oyó Zanón y me dijo:

—Espera un *moment,* que *torne.*

Salió y a los diez minutos ya estaba ahí.

—¿Ya te tomaste la cerveza? —me preguntó.

—Sí.

—Pues que te traigan otra y otra para mí. *Les dos i la meua la paguen eixos.* Mejor, *eixe* del bigote (señaló al *Cubano)* para que sepan que un sindicalista muy pequeño acaba con todos estos tipos que se dicen valientes. ¡Ala! ¡A *fora!*

Sacó una pistola y los hizo salir a todos a patadas.

—Si os vuelvo a ver por la calle de Gracia no dejo ni uno.

Con un temple como el que más. Tomó parte en la preparación del atentado contra Mestre.

Victoriano Terraza, vuelto al mundo de su juventud, es feliz. Repite, mezcla, todo es uno: el olor de azahar que invade la ciudad y sus recuerdos. Nada le emborracha tanto; eufórico, anda y desanda por el salón echado a perder, se sienta a horcajadas en una silla dorada. Los que juegan al tute no le oyen, a lo suyo. Banquells ronca. Agustín Mijares piensa en lo que les espera acariciando la culata de su Colt.

—En aquel atentado intervino Diego Parra, del sindicato de la madera; moreno, bajito, gordito, sonriente, fuerte. Vivía en una barraca, en la huerta, cerca de Algirós. De una familia de labradores. Era de otro grupo, de gente más joven. Casi todos del ramo de la madera, más algún metalúrgico. Parra llevaba una boinita sobre mucho pelo recio que no se la dejaba ajustar bien. Camino de Algirós, allí vivía. Un par de barracas, familia de *llauraors* de la que era cabeza un hermano mayor, muy serio. La madre era una viejecita, viuda desde hacía muchos años. Por la noche, y sobre todo los domingos, se reunían para leer a Bakunin, a Prudhon, a Faure. Muy *honraos.* Se las mantuvieron tiesas con los valientes de la huerta. El mayor era un tipo alto, de pocas palabras, membrudo, *pelao* al rape, siempre con la *lligona al muscle,* regando la huerta. Leían por la noche, los días de lluvia o de invierno, los tomos de la biblioteca de Sempere, de Francisco Sempere, que entonces estaba en la calle de Isabel la Católica. *Arte y Libertad* ponía el sello, con una República en medio. Bueno, no me acuerdo bien, pero creo que no estaba en la calle de Isabel la Católica. Eso fue después, antes estaba en la calle de Palomar. A cuatro reales el tomo.

Los está viendo.

—El segundo, Vicente, era escultor, santero, habilísimo. Trabajaba en el taller de un italiano. El tercero era aserrador, se llamaba Rafael; un aparato de hacer molduras se le llevó dos dedos de la mano izquierda. Rubio, de pelo rizado, guapo y no muy amigo del trabajo. También pertenecía a la Agrupación. Che, *¿no tens un cigarret?*

Mijares le tiende la petaca. Mientras lía, sigue:

—El cuarto era el enfermo de la familia. Siempre hay un enfermo en la familia. Paco tenía la voz ronca, tumefacta la cara, las manos agarrotadas, decían que de un antiguo reuma. La verdad es que acabó en Fontilles, leproso. Era escenógrafo, lo tuvo que dejar. Allí, de la huerta de Algirós, han salido muchos artistas, muchos maestros famosos. Empezaban a trabajar el campo a las tres de la mañana y a las ocho se iban al taller. ¿No has oído hablar de los Alós? Pues, como escenógrafos, llegaron al Metropolitano de Nueva York, otro se fue a Cuba, otro a Venezuela y creo que otro fue a parar a Méjico. Les decían *Els Rochos*. El quinto de los Parra, Rafael, que le decían el *Llauro,* fue para escultor, trabajó con un maestro que tenía su taller en el Portal de Valldigna, se llamaba Julio Benlloch, era un hombre bueno, rubio con una melena romántica muy sedosa. Hacía una escultura muy bonita, del tipo de Cánova —decía—. De Meliana, murió tuberculoso. Rafael, el Llauro, se fue con Alfredo Just, otro escultor que prometía mucho, hermano del que fue ministro. Rafael tenía grandes condiciones, en poco tiempo fue uno de los mejores tallistas de Valencia. No sabía casi dibujo pero tenía el instinto de la forma. Alto, espigado, de músculos largos, cabeza redonda y una risa constante. Daba gusto estar con él. Fue a estudiar piedra con los Arlandis, también anarquistas, que tenían un taller de lápidas frente al cementerio. Una tarde, al volver hacia su casa, todavía por *San Vicent de Fora,* a la altura de la calle de Tropa, oyó seis o siete tiros, vio correr a dos con pistola en mano hacia la calle de Buenavista. Llegó la policía sin que se dieran cuenta de que habían doblado por la calle de Jerusalén. El *Llauro,* muy quitado de la pena, señaló la dirección contraria. Bueno, hay que tener en cuenta que Rafael tenía por entonces diecisiete años. La mis-

ma noche lo detuvieron a él y a un amigo suyo, linotipista, que quería ser torero, *Joselillo* se llamaba. Los
que corrían habían ajusticiado al cajero de un sindicato
que se había quedado con el dinero. Rafael hizo, en
la cárcel, diez o doce bustos muy buenos, en mármol.
Se expusieron en Bellas Artes. Lo defendió Ibáñez
Rizo, un abogado muy nombrado, republicano. Salió
libre. Fue un proceso de mucho rebumbio. Murió
meses después, a lo que dijeron, de una meningitis
fulminante. Bueno, la verdad es que iba con el *Noi
del Sucre* cuando mataron a éste, en Barcelona. Al
Llauro lo hirieron, mató a un policía, corrió, se escondió, murió en Valencia por no ser atendido a tiempo.
Digo en Valencia, no en Barcelona como corrió la
voz. Tomó el tren, sin curarse. Fue a morir a su pueblo. Era un niño mimado, todos creían que llegaría a
ser un gran escultor.

Calla. Tira la colilla chupada a más no poder.

—*Els Rochos,* los padres, habían sido de Pi y
Margall, del *Cantó.* Naranjeros, de verdad gente de
la huerta, acostumbrados a las luchas antiguas de por
allí. No por nada a esas ametralladoras de vía estrecha
que gastamos las llaman *naranjeros.* Gente de pelo en
pecho. De quien te hablaba era de Diego Parra; lo
conocí en casa de los *Rochos,* una vez que salió de
la cárcel sin que pudieran haberle podido probar que
tomara parte en unos atentados. Él mató a Mestre.

Hace una pausa, para él. Sigue:

—Eso del atentado y la muerte de Mestre tuvo
gracia.

Agustín Mijares lo oye a medias. ¿Dónde an-
dará a estas horas Angelita? Hace tres días que no
la ve. Le roen los celos. Está seguro de que Rigoberto
Barea le anda haciendo la rosca. No tiene pruebas
pero lo huele. La ha breado, la semana pasada, cuando le aseguró haber ido al cine. Es posible que fuera

verdad, pero también que se haya ido quién sabe dónde con el comisario. El *Padre Benito,* al que puso en antecedentes, se lo quitó de la cabeza. A Barea le sobran mujeres —como a él—. Además, ahora debe estar en Cuenca; donde tiene mucho que hacer con unos batallones de fortificaciones en los que los comunistas quieren meter gente suya.

—Si quieres le hablo —le ofreció Feliciano Benito.

—No, no hace falta.

—Además, ¿de qué te preocupas? Hay más mujeres que longanizas.

Angelita —picada de viruelas, chata, graciosa— se le ha metido en el entrecejo como ninguna. Brava además.

—En el *express* de Barcelona se iban a París, a una exposición de muebles de artes aplicadas, mi tío Jesús Salarich y don Manuel Sigüenza, un tallista muy bueno. En Tarragona van y detienen al tren y la Guardia Civil se pone a escudriñar por todos los vagones, sin dejar uno, registrando hasta debajo de los asientos. Y van y apuntan a mi tío con sus fusiles y lo bajan a empujones; tres culatazos y adelante. Lo meten en la estación, acompañado de Sigüenza. Mi tío, asombrado:

—¿Pero qué pasa? ¿Qué pasa?

—Eres el asesino de Mestre.

Mi tío les demuestra que es profesor de la Escuela de Artesanos y que su acompañante es un distinguido tallista. A los diez minutos la Guardia Civil reconoce su error y les sueltan. Suben al tren, sigue el viaje y a poco —en marcha— se abre la puerta del compartimiento y entra Diego Parra, de verdad parecido a mi tío Salarich. Iba colgado debajo del vagón.

—¿Quién era Mestre? —pregunta Agustín.

Victoriano se asombra de la ignorancia de su interlocutor.

—¡Esta juventud de hoy! ¿Mestre? ¡Pero, hombre! Un gobernador de Barcelona, muy duro con los obreros. Conservador. ¿Tú no te acuerdas ya del atentado aquél? Fue muy sonado, hombre, durante la Feria. Mestre era valenciano.. ¡Ésa sí que es una feria y una batalla de flores como no hay otra en el mundo! Mestre iba hacia el puerto, en un landó de dos caballos que conducían dos cocheros oficiales (a uno le llamaban *Pasta,* republicano). Parra se subió al estribo y lo mató. Se escabulló y se subió al tren en el paso a nivel del Grao. Lo detuvieron poco después, en Barcelona, pero no le pudieron probar nada. Lo metieron en una delegación, formaron un grupo de siete u ocho, todos buenos, de los nuestros. Debían ser las tres o las cuatro de la mañana. Los sacaron y los llevaron andando, hacia el puerto. Despejaron las calles y en plena Rambla los asesinaron, menos a Parra, aunque llevaba lo suyo: tres tiros y dos bayonetazos. Los dieron a todos por muertos. Los metieron en un furgón, que ya esperaba en la calle de Fernando. Parra, abajo. Le cayó toda la sangre de los demás encima. Los llevaron al Hospital Clínico. Allí, todo el bollo: médicos, enfermeros, etc. Sacan a los fiambres y ahí tienes a Parra que se incorpora ante el espanto de los propios Guardias Civiles y les dice:

—A ver si os atrevéis a rematarme aquí.

»Un grupo de médicos del hospital se juramentaron para salvarle. Se relevaban y siempre había uno cerca de la cama para que no se colara alguien y lo escabechara. Fue un gran escándalo. Después lo llamaron los del Gobierno Civil. El gobernador era Martínez Anido y el jefe de la policía, Arlegui. Le propusieron que se hiciera confidente con tal de salvarle la vida. Lo rechazó indignado.

—Lo único que deseo es acabar con vosotros.

»Se fue a Francia y allí se estuvo hasta la proclamación de la República. Nos veíamos de cuando en cuando. Estuvo en el frente de Teruel. Seguro que vio a tu hermano. A eso llamo yo un hombre, haber nacido hombre, porque el comunista se ha de formar, pero el anarquista nace. ¡Qué estrategia ni qué táctica ni qué nada! Valor y nada más que valor. Con coraje se ganan las guerras —remata tonante.

—Antes no digo que no —le contesta Almirante desde la mesa del centro—, cuando no había bombas ni obuses, ni muerte enviada por aviones a cien kilómetros, o a veinte, si te parece mucho, cayendo del cielo. Anda ahora, sé valiente, plántate frente a un regalito de diez o de quinientos kilos, a pecho descubirto grítale: ¡atrévete! Plántate delante, a ver. La valentía ha pasado a la historia.

—Entonces yo también.

—No te digo que no.

Victoriano Terraza se sulfura:

—¡Eso no me lo dices tú a mí!

—Bueno: no te lo digo.

El valenciano se conforma con lo que tiene por una reparación a su justo concepto del mundo.

Llaman a Bonifaz por teléfono:

—Veníos a las diez al ministerio de Hacienda. Luego iréis a Gobernación. Allí os darán órdenes. Pero primero pasáis por aquí.

—¿A Gobernación? —pregunta extrañado el publicista.

—A esas horas ya estará allí Wenceslao Carrillo. Va Pascual Segrelles de subsecretario, pero no hagáis caso.

—Entonces, ¿es que ya?

—A las once, después del parte.

Enrique Almirante se levanta.

—Me voy.

—¿Adónde? —pregunta Vila.

—Tengo tiempo de recoger un encargo: unas agujas que necesita tu mujer. Se las prometí.

—No tardes.

—¿Cuándo he tardado yo?

5

Pascual Segrelles ha sido pintor de modelos de abanicos, lo que es, en Valencia, arte y artesanía muy apreciada. El fabricante, don Bartolomé Meneses —bajo, gordísimo, con un bigote idéntico a su vientre— envía los diseños al Japón, donde los fabrican en grandes cantidades; dos años más tarde se venden por toda España como auténticos abanicos valencianos. Pascuel Segrelles fue pintor impresionista de paisajes, al modo de Sorolla; trasmutados Monet, Manet, Renoir, con toques y pinceladas más cargadas y anchas.

—El sol no es estrecho —decía.

—Aquí somos más brutos que en los alrededores de París, a Dios gracias.

Pascual Segrelles, enjuto, sintiéndose más insignificante de lo que en verdad es, se avergüenza de su condición de pintor de abanicos. Sin embargo, cuando ve en manos ajenas algunos de los que, en principio, han salido de las suyas, experimenta cierto orgullo, pero sólo a su mujer —si la tiene a mano— se atreve a decirle, por lo bajo:

—Éste es mío.

Don Bartolomé, que se tiene por hombre de muy buen sentido, sentencia:

—Pinta demasiado bien. Debe escoger.

Escogió al poco de casarse: dejó la pintura. A Amparo, su mujer, abogado, no muy agraciada, le tuvo sin cuidado. Su hermano casó con otra intelectual, farmacéutica. Inventaron unas píldoras. Pascual dibujó los envases, proyectó la publicidad. Tuvieron éxito. Pascual, republicano, fue concejal. Con la guerra, Director General de Aduanas.

Le duele su arte perdido, seguro —como ahora lo está, bastante leído— de que habría llegado a ser un gran pintor. «Cuando acabe la guerra —piensa— dejaré todo, volveré a pintar; se quedarán boquiabiertos con lo que haga. Al fin y al cabo ha sido un descanso, ahora sé lo que quiero, y cómo.» De espíritu metódico, moderado en todo: —En el justo medio está el *quid* —afirma sin dudas—. Liberal, honrado —por dentro y por los demás—, con la conciencia tranquila (el hijo bautizado —también los de Pilar—) Pascual Segrelles, sin buscarlo, vino a personaje.

Cumplido, serio —calvo desde los veintitantos años, con alamares bien apegados, donde los demás suelen tener entradas—, es optimista, a pesar de todo, sin saber exactamente por qué —nunca muy seguro de sí— como no sea por creer en el progreso ininterrumpido y que, siendo la marcha del mundo irreversible, vamos obligados hacia un mundo más libre, por el único camino abierto: ligeramente a la izquierda.

Cuando, en su despacho del ministerio de Hacienda, se le presenta su viejo amigo Juan González Moreno, dirigente de la Unión General de Trabajadores, que acaba de llegar de Toulouse, vía Albacete, lo recibe alborozado.

—¡Hola! ¿Qué hay?

—Es exactamente lo que te quería preguntar.

—¿Aquí? Muchos chismes, cataratas de rumores. De todos lados y para todos los gustos. Pero lo que importa saber: ¿van a dejar embarcar para Valencia o Cartagena a los ciento cincuenta mil hombres que pasaron de Cataluña a Francia?

—No.

—¿Y el material que, según Negrín, estaba a punto de cruzar la frontera?

—Tampoco. Lo que van a hacer es reconocer a Franco.

—No lo puedo creer.

Pascual Segrelles no puede creerlo, más fuerte que cualquier cosa su fe en Francia, la Francia de Robespierre y de Combes, la suya.

—Vengo de allí. He visto a Forges, a Blum.

—¿Qué hacen?

—Llorar.

—Entonces, ¿qué? ¿Numancia?

—No te quiero contestar lo que Azaña a Negrín cuando le dijo lo mismo.

—¿Qué?

—«Los numantinos no tenían aviones.»

—Créetelo... ¿Cómo nos van a dejar en la estacada?

—¿Los franceses?

—No sólo ellos: Azaña, todos los que pasaron a Francia.

—No creas que es fácil regresar.

—Pero no me digas que el Presidente de la República...

—Dimitió.

—Cuéntalo a tu abuela.

González Moreno saca el escueto texto:

*Oída la opinión del General Rojo, jefe respon-
sable de las operaciones militares, en presencia del
Presidente del Consejo, de que la guerra está perdida;
y en vista del reconocimiento del general Franco por
los gobiernos de Francia e Inglaterra, vengo en dimitir
la Presidencia de la República.*

Pascual Segrelles se rebela:

—Eso ya lo conozco: invención de la Gestapo
de Burgos. Pero también conozco a Azaña. ¡Cómo va
a renunciar porque Inglaterra y Francia se pasen al
moro! Y en cuanto a Rojo, sé de buena tinta que ha
desmentido este infundio. Además, ¿cuándo ha sido
un jefe de Estado Mayor responsable de la guerra y
mucho menos adivino?

—¿Así que tú crees que podemos ganar?

—¡Claro que sí! Si llevamos aguantando aquí
dos años y medio, ¿por qué no cien?

—No te digo que no. Pero en cuanto a la au-
tenticidad de la renuncia de Azaña, no dudes.

Pascual Segrelles cambia de color y de tono.
Oscuro:

—Entonces Casado tiene razón.

—Razón ¿de qué?

—De que ya no hay nada que hacer, de que
sólo los militares pueden hacer la paz con Franco.

—¿La paz? ¿Con Franco?

—Si no, ¿con quién?

—No quiso saber nada de los ofrecimientos
del Gobierno.

—Por ser Negrín quien es.

—Si los de Burgos se quisieran avenir a razones, ¿qué más les daría uno u otro?

—No quiero tratar con comunistas.

—La paz se firma siempre con enemigos. Dejando aparte que Negrín no es comunista, ¿se lo ha dicho Franco a Casado personalmente?

—Casado asegura que se le respeta mucho en Burgos.

—¿Está en sus cabales?

—Añade que los comunistas son el único obstáculo serio para llegar a un acuerdo.

González Moreno no tiene simpatía por los comunistas, que conoce por haber pertenecido al partido, hace doce años, pero le consta que se han batido como los buenos. Mira cara a cara a su amigo:

—¿Te lo ha dicho a ti?

—Directamente, no.

—¿Por quién?

—No te lo puedo decir.

González Moreno siente un golpe en el estómago, Segrelles nunca ha tenido secretos para él (ni para nadie).

—Y ¿qué piensa hacer?

—Exactamente, no lo sé.

—¿Sublevarse?

—Es posible.

—¿Te das cuenta de lo que representaría? Otro pronunciamiento. Otro militar. Otra Junta, sin contar —y es mucho— que hundiría en lodo el final de la guerra. En lodo y en sangre.

—Deberías hablar con él.

—Para luego es tarde.

¿Para esto ha vuelto de Francia? Pero, ¿cómo, para qué quedarse allí? No hay solución. Sí la hay: continuar luchando. Para eso ha vuelto, y para nada más. Hasta más no poder. Y ahora quieren rendirse. ¿Quiénes? Los que lo quisieron desde el primer momento. Acabar con ellos. Recuerda, Juan: también han combatido desde el primer día. ¿Cómo puede uno rendirse? ¿Cómo aceptar la derrota si no se ha muerto? Rendirse es ceder, humillarse, reconocer que el enemigo lleva la razón; rendirse es abandonar. Después de todo lo pasado ¿echar lo que queda por la borda?... ¡No, y no! Si desmayan, yo... Yo, ¿qué hacer? Dar su brazo a torcer. Le duele físicamente. (Se lo atenaza con la mano contraria, en un gesto que le es habitual.) ¡No! Sólo se rinden los cobardes. Sólo se rinden los faltos de fe. ¿Darse a partido? ¿Reducirse a la obediencia de los enemigos del pueblo?

González Moreno, hijo de obrero onubense fusilado a las primeras de cambio —¡qué cambio!—, vino mozalbete a Madrid, empezó a trabajar en una imprentilla de la calle de Atocha, porque siempre le *tiró* la letra; llegó a corrector de imprenta en Calpe, antes de pasar a serlo de estilo en *La Voz*. Entró en la política por la ancha puerta de los sindicatos. Jamás ha dudado de que el camino seguido pudiera ser otro. Ha dedicado todas sus horas a la organización obrera. Siempre ha vivido humildemente. Estuvo tres veces en la cárcel, como la cosa más natural; durante la guerra fue a donde le dijeron, sin pensar más que en servir lo mejor posible. A veces —durante el año último— ha pensado en la posibilidad de perder, pero jamás se enfrentó con la realidad como ahora. Ha asistido a muchos congresos en el extranjero, no se hace ilusiones, sabe hasta dónde llega la solidaridad internacional, pero también conoce a su pueblo. Está convencido de que se dejará matar antes que ceder Madrid. Conoce —tan bien como el mejor— las desavenencias de los republicanos, pero ¿por qué han de contar más ahora? Recuerda a Hope, un periodista norteamericano, en un café de Toulouse, al enterarse del regreso de Negrín a la zona centro:

—Va a morir. Está bien.

—Entonces despídete de mí, tomo el avión pasado mañana.

—Suerte.

Tomaron otra copa.

—¿Qué harías en mi lugar?

—Lo mismo.

—Dicen que Casado está de acuerdo con Besteiro.

—¿A estas alturas quiere jugar el *Profesor?*

Julián Besteiro, siempre en contra. Lo mismo de Largo Caballero que de Prieto —según quien tenga en la mano el Partido Socialista o la U.G.T.—, eterno opositor, tal vez por catedrático, de lógica para mayor claridad. Mediocre, por lo menos como político, como lo puede juzgar, pero honrado; mediocre pero caballero. Los obreros y la pequeña burguesía madrileña, tan orgullosos de su aire distinguido... Vanidoso, creyéndose siempre en posesión de la verdad (catedrático de lógica: no puede equivocarse):
—Yo... yo... yo... yo...

—No me extraña.

—No me dirás que no es una baza. Además, de tu partido.

—Sí.

(Mi Partido... Su Partido. De hecho, su vida. Reunión tras reunión. Discusiones en el periódico, en el sindicato, en la Casa del Pueblo, en el Partido, en casa. Y ahora Julián Besteiro, que se ha mantenido aparte toda la guerra, sin querer hacer otra cosa que no salir de Madrid, conchabado con el general Casado, que se va a sublevar. No puede ser.)

—Baja.

González Moreno baja las anchísimas, macizas, escaleras de piedra del sólido edificio oficial. (Besteiro... Bueno, es posible, con su orgullo, con tal de hacer bueno —una vez más— sus eternos: «Ya lo dije», a tres meses vista... Pero, ¿Casado? Leal, sin duda; competente, desde luego; fiel a carta cabal, honrado, seguro...) No cree lo que acaba de oír, no lo puede creer. A menos que se hayan vueltos locos.

Recuerda a Casado, comandante, Jefe de la Escolta Presidencial, en la recepción de Rosemberg, primer embajador de la URSS. En el momento de apearse el embajador se espantó el caballo que montaba y en poco estuvo que no diera con él en tierra o pisara a los curiosos, en la plaza de la Armería, al pie de la gran escalera de Palacio. La Banda rompió a tocar la Internacional. En torno al coche, un grupo de jóvenes comunistas, aplaudía dando vivas a los soviets. Ayer...

Al llegar al sótano, González Moreno se extraña de ver salir del despacho del Jefe del Ejército del Centro, con ancha sonrisa, a Melchor Rodríguez, dirigente de la C.N.T., y hablarle a García Pradas, un jovenzuelo de historia turbia, que dirige uno de los periódicos anarquistas de la capital.

—Hola —le dice a González Moreno—, ¿qué haces por aquí?

—Supongo que lo mismo que tú.

—¡Qué bien! —el ácrata pliega irónicamente los ojos dando entonación de sorpresa a la voz.

Los centinelas evidencian respeto por los dos anarquistas.

Casado —mala cara— recibe a González Moreno con muestras de estima. Le pregunta acerca de la retirada de Cataluña, de la actual situación en Francia, del Gobierno.

—El Gobierno está aquí.

—¿Qué Gobierno?

—¿Cuál ha de ser?

—Habiendo renunciado el Presidente de la República ya no hay gobierno que valga. ¿Qué posibilidad hay de que el Frente Popular se encargue de él?

—¿Del Gobierno? La mayoría de sus componentes está en Francia.

—¿Por qué no regresan?

—No es fácil.

—Claro, y más cómodo. Y entregar los mandos a los comunistas.

—Están aquí.

—Son los únicos que han dejado volver. ¿Quiere saber lo que pienso? Porque supongo que a eso ha venido.

—Sólo a saludarle.

Quiere salir cuanto antes.

—¿Cree usted que Negrín puede acabar la guerra?

—Lo ha intentado.

—Sin resultado.

—Porque Franco no quiere.

—Conmigo, sí.

—¿Qué garantías tiene de ellos?

—Los ingleses.

—Que han reconocido a Franco.

—Es parte de su plan.

—¿Qué va a hacer?

—No seguir a las órdenes de un gobierno que desoyendo los consejos de todos sus asesores militares y jefes de ejército se empeña en una guerra imposible. Usted no estaba cuando Negrín nos reunió en Los Llanos, a Miaja, que todavía era Jefe Supremo de las Fuerzas; a Matallana, Jefe del Estado Mayor Central; al Jefe de la Base Naval de Cartagena; a mí, Jefe del Ejército del Centro; a los Jefes de la Flota y de la Aviación... Todos, menos el *bendito* de Miaja estuvieron de acuerdo en que, militarmente, ya no había nada que hacer. En vista de lo cual su inefable compañero Negrín —bajo el manto de los comunistas—, decidió seguir la guerra a ultranza...

—También el 7 de noviembre del 36 todo estaba perdido. Además, ¿qué otra cosa se puede hacer?

—Poco ha de vivir para saberlo. Tal vez Besteiro quiera decírselo. Vaya a verle. Y ya sabe cuánto le estimo.

(Hijo de su madre, ¿quién me lo había de decir?)

Anda por la calle mirando la cara de cuantos se cruzan con él:

—Éstos que van a morir...

Madrid, enorme circo; y Casado —enfermo, acabado— inclinando el índice hacia abajo. ¡Al rastro! ¡Al degolladero! Porque, ¿quién se hace ilusiones? ¿El insensato —catedrático de lógica— Julián Besteiro? La revancha que ha soñado toda su vida contra Caballero y Prieto...

Se ve en el espejo de una paragüería de la calle de Preciados.

—Tú también.

Se para, se mira.

—Yo, también. ¿Y qué?

Nada. Hace tiempo que lo sabe. Pero así, no. Demasiado sucio. Mas ¿qué hacer? ¿Reunir la Ejecutiva de la U.G.T.? ¿Comprarse un paraguas como Chamberlain? El edificio contiguo está hecho polvo; lo que queda, desvencijado. En todas las casas de Madrid, en todas las mesas de las casas de Madrid, hay, por lo menos, el lugar de un muerto o un desaparecido; en todas las casas la muerte tiene la cara de uno de la familia, en todas las calles de Madrid hay —dejando aparte el barrio de Salamanca—, por lo menos, una casa bombardeada, deshecha, con las tripas al aire. Madrid, ciudad de piedra, viva y muerta a la vez como si fuera posible que siguiese corriendo la sangre por las venas y las arterias de un cadáver. Lo es. Oye el silencio de la guerra: los tiros, los obuses, las bombas. Antes, era otra cosa: esperanza, final vislumbrado campo adelante, del Manzanares al litoral de Galicia empujando al enemigo hasta el mar.

Julia, esperándole en Toulouse.

—Debo regresar al Centro.

—¿Cuándo?

—En el primer asiento que haya para Alicante o Albacete.

—¿No puedo ir contigo?

—Sabes que no.

—Prométeme... No, no me prometas nada.

¿A qué huele la traición? Si se cambia de idea —de ideas— y no por traicionar se sigue sirviendo la causa a la que estás adscrito, ¿traicionas más si haces público tu desacuerdo? Tal vez. No se contesta, pone barreras a su pensamiento. Si se hiere a un enemigo por la espalda ¿es traición? Traicionar: pasarse al enemigo. Basta con favorecerle. La traición no es el hecho en sí —miento— sino la razón que mueve a hacerlo. Judas, los treinta dineros. ¿Fue tan sencillo? ¿Es traicionar mantener sus ideas cuando están en contra de la situación creada por estas mismas ideas? ¿Traidores todos los políticos que fueron abandonando sus convencimientos primeros? Es negar la evolución, ser piedra. Si me enamoro de otra mujer —de ésta que voy a cruzar—, ¿traicionaré a Julia? Sí. Pero si fuera —éste nuevo— un nuevo amor verdadero y por ser fiel a Julia, resistiera, ¿no traicionaría a este nuevo amor? ¿Qué tiene que ver con Besteiro? Discutirlo. ¿Con quién? ¿Con Besteiro? ¿Va a verle? No. Dejarlo para mañana. Cuando es urgente, dejar las cosas para mañana, ¿no es traicionar?

Cuando llega a casa de Julián Besteiro, éste acaba de salir.

—¿No sabe a dónde fue?

—No.

No insiste.

—Dígale que mañana pasaré a verle.

6

Sucedió al mes de marcharse Asunción a Valencia. Naturalmente. Don Manuel había ido a una
sesión en casa de un espiritista de la Arganzuela (los
tranvías jamás dejaron de funcionar a pesar de los
bombardeos); no la hubiese perdido por nada de
este mundo, en favor del otro. Allí, salían, materiali-
zándose, desde hacía un par de meses, algunos guerrilleros famosos del siglo XIX; Garibaldi entre ellos
y, sobre todo, los últimos tiempos, el general Riego
que prometía gran futuro a Vicente.
    Lola, en el umbral.
    —Pasa.
    —Pero...
    —Iba a acostarme —le dice a Vicente, subien-
do la escalera.
    —Tienes cara de cansada.
    —Cara y algo más.
    Eran los días finales de la batalla del Ebro.
    —¿Has oído el parte?
    —Sí.
    —¿Y?
    —No parece que las cosas vayan bien.

—Les dimos una felpa.

Tardarían más o menos, pero la victoria era segura.

—Dicen que los franceses abren la mano. Que no va a faltar material.

El material. No hay otro problema. El material, tras las fronteras.

—¿Has comido?

—Sí.

—¿Bastante?

—Sí.

—¿No tienes novio?

Lo dijo sin pensar; si no, hubiera callado.

—No. Ni lo tuve nunca.

Vicente calla reconviniéndose. Se ha prometido castidad absoluta.

—*¿Y ahora solo, qué vas a hacer?*

—*¿Solo? ¿Te parece poco con lo que me dejas?*

Se refería —ello lo entendió— a Madrid, al frente, a la guerra.

Lola se le acercó:

—El único hombre que me da confianza, el único al que me confiaría: tú.

Se le juntó. Se besaron. La poseyó vestida, de cualquier manera. Luego, le llevó a su cuarto.

—Acuéstate.

Lo fue desnudando, con amor.

Don Manuel se dio cuenta en seguida. Le pareció de perlas.

—Vicente vale más de lo que sospecháis todos.

Lola mira a su padre procurando velar la mirada, adargándose somo siempre.

—¿Cómo lo sabes?

—Como sé muchas cosas. Tú eres la que se empeña en no enterarte.

Le da lástima el viejo, pero se contiene. Desde que se perdió, desde que está perdida por Vicente, le dan esos arrechuchos sentimentales: «Mete los frenos, Loluchi» —se dice no siendo un prodigio de buenas maneras—. Su padre se las enseñó, las rehuyó a sabiendas, llevándole la contraria.

—Debías haber sido hombre.

—Así hubiese habido uno en la familia.

Don Manuel se limita a mirarla con tristeza, a veces con lágrimas en los ojos, de lo que ambos procuran no darse por enterados.

«No tiene la culpa, le tocó un espíritu oscuro que la atormenta.» Siente una gran lástima por su hija; ahora les une el interés por el joven valenciano, a pesar de ello no mejoran sus relaciones. El *Espiritista* se lamenta de ello con don Germán, su protector, en el rodar lento de la madrugada. (Lo de la fonda de Granada como las otras dos apariciones celestiales, en la estación de Alcázar de San Juan y en el Convento de las Huelgas, de Burgos, fueron casos excepcionales):

—¿No se puede hacer nada?

—Cada quien tiene su cruz.

—Pero la pobre sufre.

—Como todos, hasta llegar a la luz.

—Es mi hija.

—Pero la concebiste en estado de pecado.

—No tiene la culpa.

—Hasta la quinta generación...

—Pero, ¿y ella?

—«Dejarás padre y madre...» También los hijos.

Don Manuel se acusa dándose cuenta de lo que todavía le falta para lograr verse en el plano requerido por su protector. «Mi hijo debiera ser Vicente.»

La realización del amor físico fue una desilusión para Lola. Por más que lo procuró, no se entregaba. «Tal vez el haber estado fingiendo, el haberme defendido siempre, me impide llegar a darme a merced *(del vencedor)*.» Dobló y redobló, eso sí, su furia erótica para con Vicente, que nunca había visto ni sospechado nada parecido. Las tristes lecturas pornográficas de Lola le daban una gran superioridad. Imposibilitada de ponerse del todo en manos de su amante, depositó en él sus ansias sin que el hombre se diera cuenta de lo que sucedía.

—¡Dame! ¡Dame! ¡Dame! —clama hecha ménade, cuando hubiera querido gritar a todo el mundo, al mundo desierto por el que se movía: —¡Toma! ¡Toma! ¡Toma!

Al entrar, ahora, Vicente encuentra a don Manuel y Enrique Almirante discutiendo acerca de la magia negra. Discutir no es más que un decir. El anarquista oye.

—¿Y Lola?

—Salió.

—¿No sabe cuándo regresará?

—En seguida.

Miente queriendo que Vicente se quede y, como si siguiera en lo dicho, al amigote:

—Los hijos destruyen y profanan lo que sus padres les han legado.

—No puedo esperar.

—¿Qué pasa? —pregunta Enrique Almirante.

—Nada.

—¿Entonces?

—Mire, don Manuel, ignoro si podré volver hoy, mañana o pasado. Por favor, dígale a Lola que me llame al Pardo. Sin falta, tan pronto como vuelva.

—Bueno, hijo, bueno. Vete tranquilo.

—Dígale que no tengo tiempo.

Sale.

—¿El tiempo? —comenta, agarrando la palabra al vuelo, don Manuel—. ¿Qué puede ser frente a la eternidad? El tiempo es una etapa. ¿Cómo puede existir el tiempo en un universo que no tiene principio ni fin?

Enrique Almirante se aburre, se aburre en todas partes, menos jugando al tute o al mus. Todo le sale por una friolera. (Ya no estoy para nada.) Mira por la ventana (el negocio está en un primer piso). El mediodía gris. Procura recordar algo. Es inútil, está en blanco, en gris. Quisiera, insomne, dormir.

—A veces, la casualidad... —dice por decir.

—No hay casualidad sino causalidad. ¿Quién osaría afirmar que la presencia de la sal en el seno de los mares es debido al solo azar? Es una prueba entre mil de que la providencia de Dios es infinita: puso de veinticinco a veintiséis gramos de sal por cada litro. Sin ella, los mares y los océanos serían inmensos pudrideros infectados de miasmas y de virus mortíferos. No habría vida humana. (El mar, incorruptible —piensa—; mi hija corrupta...)

No piensa lo que está diciendo. Es uno de esos argumentos que repite mecánicamente desde hace años al intentar convertir. Lo que le mina, desde hace semanas, es la convicción de que su hija es un obstáculo para convencer a Vicente y traerle a su campo. Lo primero: separarlos, luego Dios y don Germán avisarán.

—Este amigo de tu hija es comunista ¿no?

—No lo sé ni me importa.

—A mí sí.

—¿Por qué?

—Cosas. Pero me huelo que no lo va a pasar muy bien.

—Usted sabe algo.

—Y aun algos. Pero me tengo que callar la boca.

—¿Por qué dijo que iba a pasarlo mal?

—Usted, olvídese.

—¡Qué me he de olvidar!

—¿Me vende los seis paquetes de agujas?

Don Manuel asiente al trato.

—Va a pasar algo muy gordo.

El chamarilero hace un gesto de impaciencia con los dedos de la mano derecha.

—Desembuche.

—Van a acabar con ellos.

—¿Con ello? ¿Quiénes, ellos?

—Con los comunistas ¡recontra! Ya está todo preparado. Ya era hora. Aquí nadie podía hacer nada, y menos que nada ascender, a menos que se fuera de ellos.

—Ascender es otra cosa, ascender sólo hacia la Luz —dice el ocultista buscando el género pedido.

Cuando regresa Lola, su padre no le dijo palabra de la visita de Vicente. Almirante se extrañó.

—Ahora vuelvo —dijo el chamarilero.

—¿Adónde vas? —preguntó su hija.

—Ahí, al lado. No te preocupes.

Llegó a la esquina, pidió permiso para usar el teléfono. Logró comunicar con Vicente:

—Es la primera vez que uso este aparato del demonio. ¡Qué cosa no haré por ti! Pero bien está. Hazme caso, hijo: márchate, huye, no vuelvas la vista atrás hasta llegar al mar salado. Va en ello de tu vida eterna. El Mal está venciendo al Bien. Sálvate. Vete.

—Mi puesto está aquí.

—Vete.

—Pero, don Manuel...

—No hay pero que valga.

—¿Y Lola? ¿Le dijo...?

El viejo colgó. El coronel Barceló está detrás de Vicente.

—Coge un coche y este pliego. Vete inmediatamente a Elda. A la posición *Dácar*. Sin perder un minuto. Es muy urgente. Se lo entregas personalmente a Dolores. Y dile que me hable a las siete de la mañana. Por muy despacio que vayas llegarás a medianoche.

Vicente recuerda las palabras de don Manuel. Por primera vez, desde hace tiempo, sonríe. Tan pronto como se sienta al lado del chófer, se pone a pensar en Asunción, Lola borrada de la memoria o sólo como un peso muerto en el estómago. «Lo que tengo es hambre.» Es cierto.

—¿Llevas algo de comer?

—No.

—A ver si encontramos algo en el camino.

«Éste está *chalao*» —piensa el mecánico—. Una vez más: Canillejas, Torrejón de Ardoz, a bajar a Loeches, a Arganda, camino de Tarancón.

¿Le contaré o no lo de Lola? Asunción, su vida verdadera. ¿Cómo había sido posible que la hija de don Manuel —ya no Lola—...? ¿Cómo se había dejado arrastrar, él, tan firme en mantener sus decisiones, a abandonarse embaucado, a apartarse de sí, a meterse en esa cueva, a dar su cuerpo a la ocasión, a cortar el hilo, el cordón umbilical, que le une a Asunción? Vuelve las espaldas —de hecho— a Lola, sin siquiera haberle dicho: me voy. No quiere excusarse pero se excusa y le duele. A medida que aumentan los kilómetros que le separan de Madrid siente disminuir sus culpas y aligerarse la pena. Sin embargo, busca una explicación: no fue urgencia física, que decidió resolver de otra manera si era necesario. Surge el rencor; mas inmediatamente se alza contra

él. Halló regalo y entretenimiento en ella ¿para des-
quitarse de los trabajos o sólo para blasonar de los
regalos del cielo? Convirtió el apetito en satisfacción
pasajera. El gozo distó mucho de haber sido inefable.
Sin duda fue un deleite para los sentidos, pero nada
más. ¿Hasta qué punto tiene que ver Asunción en
aquello? ¿Se lo dirá o no? ¿Comprenderá que nada
tiene que ver con el amor que siente por ella? Otra,
tal vez. Asunción, no. O quizá, por eso mismo, por
ser Asunción como es, no le importará. ¿Cómo no
delatarse? No es cuestión de razón sino de respeto
humano. El gusano del desconsuelo le roe las entrañas.

—Como hablador, no lo eres.

—Tengo otras cosas en la cabeza.

—¿Qué crees que va a pasar?

—Nada.

¿Qué hará Asunción a estas horas? Cualquier
cosa menos figurarse que voy hacia Levante. Es posible que una vez cumplida la misión pueda alargarme
a Valencia. A menos que me ordenen —es lo más probable— que regrese inmediatamente a Madrid.

—¿Cuánto hay de Elda a Valencia?

—No lo sé. Poco. ¿Es que tenemos que ir?

—Ya veremos.

Los chopos en la llanura, adivinados en la noche clara; luego los carrascales de las colinas, antes
de los tajos y las curvas cerradas por las que se baja
de la meseta a Levante. Noche de luna que petrifica
la tierra. El frío que atraviesa los cristales del coche
se mete por las rendijas de la carrocería desajustada
por el uso constante, vieja de treinta meses de guerra.

7

La noche, fresca; el capote, húmedo; la luna, entrevista, sale y se cubre. La luz varía al capricho de las nubes.

—¡Alto!

—¿Quién va?

—Hola.

—¿Dónde vas?

¿Dónde voy? Si les digo «a paseo» no lo van a creer. Me saco a mí mismo a paseo. Llegar al Paseo de Rosales, ver la Casa de Campo a la luz de la luna, a la blanca, oscura, fría luz de la luna.

Bombardeo: cañonazos seguidos, de gran calibre. Silban por encima. Apuntan alrededor de la Puerta del Sol (alrededor de la Puerta del Sol, a la luz de la luna) para urdir más cascotes, más cascajo, más paredes destruidas como ésta: las ventanas al aire por las que corre la luna perseguida por las nubes, por las leves nubes. Nada más romántico: las orillas festoneadas, recortadas al delirante capricho de los muros destrizados. La destrucción —sea del tiempo o del hombre— es la expresión máxima de la fuerza del hombre y del tiempo. ¿Qué diferencia hay entre ambos? Ninguna. Por el hecho de ser hombre somos tiempo; el tiempo es hombre. Hecho a su medida, a su imagen y semejanza.

Le paran en un último baluarte.

—¿A dónde vas?

—A echar un vistazo.

—No tardes. Si te ven, te fríen.

Desde el alto repecho, la llanura famosa. Aquí se estrellaron... Las estrellas, visibles a medias, de cuando en cuando. Madrid, «capital de la gloria». ¡Salud, Manzanares ilustre! ¡Salud, Puente de los Franceses! ¡Salud, Campo del Moro! ¡Salud, Casa de Campo! Los que van a rendirse te saludan. Los traicionados te saludan.

No vino a eso. No: fue para ver la Casa de Campo y recordar a Elvira. Te borraste de mi memoria. (¿Cuántos y cuántas? ¿En cuántos y cuántas no dejé huella alguna? ¿A cuántos como a mí matarían antes de hacer resurgir el recuerdo de lo que fuimos? Volviste, presente por arte de birlibirloque, al quemarme el índice derecho —era la última cerilla— por darle fuego a Carlos Riquelme. Recordé el café, el paseo, aquella noche pasada en la Casa de Campo, de cómo me quemé al querer mirar lo que había en el suelo: —Algo se mueve—. (¿Qué tenía yo?, ¿veintiuno, veintidós años?) ¿Te llamabas Elvira?, creo que sí, pero no daría mi mano a cortar. ¿O Emilia?, ¿o Alicia? No: Elvira. Nos volvimos a ver al día siguiente. Paseamos por aquí. Luego por Buen Suceso y la calle de la Princesa. Nos citamos para dos días después —te era imposible antes—; tal vez llegaste tarde, yo tenía cita con Cuartero y Medina, te esperé poco. No supe dónde volverte a encontrar.)

Bombardean. Dicen, dirán: «¡Cómo han cambiado los tiempos!» No. Son los mismos, expresados de otra manera. Los elementos no varían, las circuns-

tancias, poco; los hombres, menos. Te lo pruebo, Elvira —estés donde estés— viniendo esta noche a ver
tu recuerdo.

Julián Templado siente todavía, en sus manos,
el calor de la moza. La besa a más no poder.

Los obuses. A la derecha, lejos, entra en acción
una ametralladora. Resiste la humedad del capote, el
sueño. Aquí acaba un capítulo de la historia de España. ¿Cuándo no? ¿O tal vez sí? Hay épocas chatas, tristes, oscuras. Únicamente cuando han pasado,
los vivos dictaminan acerca de los muertos. Evidente
injusticia. Habrá que esperar el juicio final, que no
será nunca.

*Yo lloro de ver hoy los que mañana no se
verán, pues del modo que el viento lleva mis suspiros
así se llevará los alientos de sus vidas. Prevéngoles las
obsequias a los que dentro de pocos años, todos los
que hoy cubren la tierra, ella los ha de cubrir a ellos.*
Heródoto por Gracián. Sábelo de memoria, que no
tiene corta, y por gusto por el jesuita de Belmonte.
A Julián Templado le estremece la prosa más que el
verso. Halla en la musculatura del castellano lo único que le enternece. Las epidermis femeninas son otra
cosa, no tan distinta: «Médico no habías de ser —piensa—, por eso acabas en periodista.» *Todos los que hoy
cubren la tierra, ella los ha de cubrir a ellos.* Ve la
llanura, unas luces: miles que han de morir si atacan
o se defienden. Al fin y al cabo, siempre fui un sentimental —piensa pensando que miente—. ¿Qué queda a estas horas de Jesús Herrera? Recuerda la taberna
de Bienvenido, la noche del 6 de noviembre de 1936
—también hoy es 6 (se equivoca: está a 5)— él, con
Cuartero (¿qué será de Paulino? Debe estar en Francia, con Pilar y las niñas); entró Herrera, de capitán,
tan elegante como siempre, con Hope, el periodista
norteamericano (¿estará en África, en Austria, en Chi-

na, en Cuba?) y Gorov (¿de vuelta a estas horas en
Moscú, a menos que, como dejó entender Renau, esté
bajo tierra, fusilado?). ¿Qué habrá sido de Fajardo y
de Villegas? Carlos Riquelme sigue en su hospital,
como si nada, parte del mismo. Ser parte, ¿es vivir?,
¿soy parte? Si lo soy, ¿de qué? No lo sé. He aquí
el mal. Por no saberlo soy comunista. Si lo digo, me
matan. Bueno, digo «me matan» por decir algo. Aquí
los que matan son estos de enfrente. Éramos un buen
grupo, formábamos un gran grupo. Herrera murió
como los buenos, en un tanque. ¿Lo enterrarían? Rivadavia también debe de estar en Francia, tal vez
en un campo de concentración. Esto queda. Todavía
cubrimos la tierra. Herrera, recubierto por ella. Quizá —tan elegante, tan hermoso— ni siquiera lo con-
siguiera. Heródoto se olvidó de los que deshace la
metralla (no había adelantado tanto la ciencia), pero
los cuervos y las alimañas contaban ya lo suyo. ¿Qué
será lo mío? No me importa —cree que piensa—.
A Gorov le enterrarían. Herrera, Gorov, muertos;
Rivadavia, Cuartero, Fajardo, Villegas, desterrados.
Nosotros aquí todavía, ¿de qué me quejo? Sólo el
ocioso se queja de su desdicha. ¿Dónde leí eso? No
lo recuerdo. ¿A qué vine aquí? ¿A matar el tiempo
dándole el ídem para que acabe conmigo? No. Vine
a recordar a Elvira, la Casa de Campo, la noche fugi-
tiva que pasamos ahí. Elvira: Mercedes. Tanto monta. Varían; el que no cambia soy yo. He aquí el in-
tríngulis. Sólo el amor hace variar. Si fuera otro, con
otra, la querría. Como no cambio, no las quiero; no
quiero (a nadie). Quisiera. No basta la voluntad. Le
tengo buena voluntad —dicen—. Elvira: Mercedes;
otras las circunstancias, yo no. ¿Cuántos coitos me
quedan por delante? Tal vez uno o ninguno, cien o
mil, ¿con cuántas? ¡Qué no daría por enamorarme!

Ahora lo estoy de ti, Elvira. Te tuve aquella sola noche. Si te viera no te reconocería.

El recuerdo de la noche del 6 de noviembre de 1936, los fascistas donde todavía están, aquí, abajo, enfrente; su ida a Usera, los únicos tiros que ha disparado; antes su marcha a Valencia, su cruce con los de las Brigadas Internacionales que llegaban a Madrid. Se fue creyendo no regresar. Todavía está —están— en el mismo sitio, en las mismas condiciones. Se engaña.

—Ya es hora. Vámonos.

Cuando puede le gusta pasear —airearse— un poco. Salió de la redacción de *Mundo Obrero* a las siete.

—Ahora vuelvo.

Había ido a cenar con Carlos Riquelme, para recoger a Mercedes e hincar el diente en algo. La mujer estaba de guardia. Riquelme tenía un chusco y una lata de sardinas. Partieron.

—El futuro se puede adivinar o predecir, pero ¿quién el presente? Te explico: es lo que es, está ahí como lo veo, como lo ves. Mas, ¿cómo será para un historiador dentro de uno, dos, diez siglos? El pasado es siempre lo que dictaminan los presentes; en el futuro el pasado será el presente. Así se escribe siempre la historia. ¿Qué vivimos?, ¿esto de ahora o lo que dirán que fue dentro de cincuenta, cien, mil años? Guerras hubo perdidas que aseguran ganadas; los ingleses dan por victorias sobre los franceses algunas de las que éstos tienen por suyas. Ciertos malos pasos vergonzosos se borran en un idioma mientras son recordados con gloria en otros, sin contar que las historias —no hay historia sino historias— suelen escribirlas los vencedores. ¿O crees que en Covadonga, si hubo la tal batalla, sabían que principiaban la Reconquista? ¿Quién sabe si empezó ahora otra guerra de treinta años? No se sabe nunca lo que se hace, ¡figúrate si podemos saber qué estamos haciendo para las entendederas de los de mañana! Sin contar con que la enorme mayoría no hace nada —haga lo que haga— porque nadie ha de acordarse no digamos del santo de su nombre sino de nada de lo que les rodea.

—¿Y qué me quieres decir o demostrar con esto?

—Nada. Precisamente esto: nada.

—¿Que no vale la pena hacer nada? ¿Crees que la gente vive para el mañana? Lo que pasa es que estás podrido. Te importan los museos, la historia, con mayúsculas, cosas que a los hombres en general, les preocupan poco. Seguramente, la tierra vista desde mil kilómetros carece de interés, como no sea para algunos astrónomos.

—Exageras.

—Poco. A ti, lo único que te importa es el dolor. Quiero decir: huir del dolor. Desde el momento en que nada te duela, lo demás te tiene sin cuidado. Lo que te importa de la guerra, de nuestra guerra, es que no te pase nada. Que no te toquen. Aceptas que te fusilen, que no que te torturen —hizo una pausa—. Si sucediera, posiblemente te aguantarías.

—Entonces, ¿de qué te quejas?

—De que no tomes parte.

—¿Te molesta?

—Sí. Sin contar con que si tuvieses el poder en las manos no te importaría torturar a los demás.

—Me haces mucho favor. Digamos que soy egoísta: es más sencillo, más vulgar, pero más cercano a la verdad. Toma, enciende.

Se quemó el dedo.

Julián Templado ha estado en Francia parte del año 38. Lo sacó de Barcelona a principios del mismo, José Rivadavia —fiscal de la República, muy su amigo— cuando, por amor de Lola Cifuentes y capricho propio, estuvo a punto de pasarlo mal a manos de la policía. Templado no se encontró a gusto en París. En la Embajada le dieron algo que hacer: atender inválidos, enfermos, pero el médico madrileño, auténtico culo de mal asiento, no dormía tranquilo. Nadie le decía: «¿Por qué no estás en España?», pero él, tan aficionado a mirarse al espejo, se espetaba la pregunta a cualquier hora. Tal vez por ello tampoco ligó de verdad durante esos meses con ninguna mujer de su gusto. Fracasó con una mecanógrafa del consulado, con una periodista noruega, con la encargada del guardarropa de un restaurante cercano a su albergue. *L'Hotel des Princes.* ¿Qué príncipes? ¡Estos franceses! Un retrete entre cada piso, y gracias. Y, en letras doradas hendidas en el mármol negro, al lado de la puerta: *Confort moderne. Salle de bains...* Sí: una en la planta baja para los cuatro pisos y treinta habitaciones. Ahora, eso sí: se registraba uno si quería y, si no bastaba, un nombre cualquiera; pagado el cuarto, nadie molestaba; se podía dormir solo o acompañado por quien fuese. Fuérase lo uno por lo otro. Pero, no: le roía el gusano español; con la guerra se cambia más aprisa que con la paz —pensaba—. Extraño cultivo.

Le faltaba alma para cualquier cosa. De su amistad con José Vicens, que trabajaba en la Embajada, y los amigos de éste, con quienes solía reunirse aquí y allá, decantó su ingreso en el partido comunista —empeñado entonces en buscar adeptos sin pararse en barras— y su regreso a España. No a Barcelona, donde algún irresponsable del SIM podía molestarle, sino a Madrid. Llegó al aeródromo de Prat de Llobregat al mediodía del 12 de septiembre de 1938. De Sabadell despegó para Barajas. Amanecía el 13 cuando le dejaron en la plaza del Callao. Hacía exactamente quince años —tenía entonces veinte— que se había sublevado el general Primo de Rivera. Recuerda la indignación que le produjo el «movimiento» y más la indiferencia con que su familia lo acogió. Los tiempos siempre son otros.

—Franco no es tonto. Ahora tiene la sartén por el mango y va a freír a quien le dé la gana. Y no van a ser pocos.

—¿Tú crees?

—Ya lo verás.

—Si lo cuento. Imbéciles, estos republicanos y socialistas de mierda que sabiéndolo...

—¿Crees que van a salirse con la suya?

—La suya, no lo sé. Con la de los fachas, seguro.

A Mercedes no acaba de interesarle el asunto, le corre otro por el magín:

—Rosario, esa tal por cual, que con todo el jaleo, que había garbanzos en el ultramarinos de la esquina. Nanay... Píldoras y gracias. Ya podías haber traído otro bote de leche condensada. Tú, con tal de no pedir nada... ¡Leche! ¡Condenado gato! ¡Ven aquí! Pobrecito, si yo no te quiero, ¿quién? ¿Quieres salir? Pues te chinchas. Si te cogen, te asan. ¡Qué vida! ¿Y qué te doy?

Refunfuña en la cocina. Para Julián Templado suena a gloria. Dio con ella a los dos días de regresar a Madrid y no la suelta ni la soltaría por nada del mundo —de este mundo de hoy que tiene a mano—. Y eso que no sabe hacer el amor «más que a lo bestia», como dice ella echando como siempre por el camino de en medio.

—A las diez, tengo reunión.

—¿Cuándo no? —retrueca la coima.

—Por lo que oigo, pronto.

—¿A las diez? ¡Si son más de las ocho y hace dos días que no apareces por aquí!

—¿No vine ayer por la mañana?

—Un momento. Eso no cuenta.

Para Mercedes sólo cuenta del cuarto espasmo para arriba. Menos mal que Templado si no se las sabe todas, casi. Y no se lava.

—¿Para qué? Queda ese olor tan rico...

Luego, toda encima:

—Lo que quiero es que me preñes.

La furia de Julián contra lo que aseguran de Casado, de Besteiro, se multiplica por la sospecha de lo contado del tiempo que le queda de su intimidad frenética con Mercedes.

—¡Hijos de tal por cual!

La mujer, parada frente a frente, pierniabierta, se deja llevar por la preocupación de su amante.

—¿Qué pasa, de verdad?

—Es largo de contar.

—¿Se han vuelto locos?

—Es la única explicación racional.

La atrae.

—Lo que me revienta de todo esto —y de todo lo demás— es la imbecilidad. Si Franco hubiera querido acabar la guerra, hace meses, con garantizar la vida y la libertad a los republicanos que se quedaran y no estorbar la salida de los que quisieran irse, todo arreglado.

—¿Lo hubiera aceptado el Gobierno?

—Desde luego. No sólo lo hubiera aceptado: de hecho, lo propuso.

—¿Cómo lo sabes?

—Lo sé. Pero es precisamente lo que no quieren los franquistas.

—¿Y tú? —pregunta Mercedes.

—¿Yo? Partidario tuyo.

La acula contra el ángulo de la mesa. Excelente altura.

—¿Hubo o no hubo complot comunista?

—¿Quién te ha venido con esas idioteces?

—En el hospital.

—Se curan en salud. Los que se van a sublevar son ellos.

Acaricia la entrepierna descubierta, suave y húmeda.

—Te quiero más que a mi madre.

—¿De verdad crees que esto se va a acabar?

—Mientras no acabemos tú y yo, lo demás...

—¡Clávame!

En todo momento se juega uno la vida, haciendo esto y dejando de hacer lo otro. Estoy aquí, perdiendo el tiempo, pudiendo o debiendo estar en Antón Martín. Aquí tal vez me den en el melón o viceversa, porque a lo peor este obús estalla en la redacción. Eso del viceversa es la gran cosa. Porque puedo hacer esto *u* lo otro pero no todo lo que quiero. El hombre es un animal limitado, libre hasta cierto punto, con taxímetro. Tomo uno y le digo; a Velázquez 36 o a Serrano 8; no le puedo decir: a Cádiz, a ver qué pasa. Puedo escoger entre irme ahora o dentro de diez minutos, no dentro de un año —aun hablando de cosas humanamente posibles—. Puedo escoger entre Manuela o Ángela; no a Gloria, porque no quiere. La vida es una serie de carambolas, te rechazan, rechazas, vas de un lado a otro dando en bandas o en bolas, cambias de camino queriendo o sin querer, mandado y mandando, al humor de los tacos. Nada de: «o te quitas tú o te quita el toro». Hacer el quite, entrar al quite. La vida quita y tú añades o viceversa. Tonterías que podrían tal vez no serlo si tuviera conocimiento; el que me falta: insensato.

8

Don José María Morales y Bustamante, Consejero a.i., escribe a su superior, el general García Martínez. Al Consejero a.i. le gusta la literatura, tiene a Vargas Vila —casi su coterráneo— por capitán de lo más.

—Sobre este marco lúgubre— dicta a Rosa María Laínez, que le sirve de secretaria y biombo, porque el señor Morales tiene otros gustos—, sobre este marco lúgubre —repite— hacía ya algún tiempo que se vislumbraban los destellos de una lucha intestina entre republicanos, socialistas, anarquistas y comunistas. Al cansancio, amargura y dolor de una población abatida, a pesar de toda la propaganda, se ha unido desde hace semanas el presagio de otra desventura que ensombrece el cuadro negro de por sí...

—¿Voy bien? —pregunta a su colaboradora.

—Claro que sí —responde indiferente la joven.

—Seguimos: La gente anda triste. No. Escriba: ambula con el semblante cuajado de tristeza. Lo peor, o lo mejor, es que nadie sabe a qué atenerse. Los *bulos* discurren a caña libre, si mi General permite la expresión. Oficialmente no se sabe nada ni hay declaraciones oficiales...

—¿Dos veces oficiales?

—Póngalo como le parezca pero no me interrumpa que se me va el hilo de la imaginación. Ponga, donde quepa: El pueblo macerado en privaciones cada día mayores, con el hambre acentuada, falto de alientos, de orientación, de ruta a seguir...

El diplomático sudamericano se detiene, mira a su secretaria:

—Ya falta poco. Y no lo digo sólo por el informe —añade con un guiño que supone inteligente.

Rosa María sonríe vagamente. Ve al infatuado de manera distinta a como se la aparecía en tiempos pasados. Nunca lo tuvo en mucho, ahora vence —fácilmente— lo hinchado, ridículo, corto, histriónico del personajillo. Se da cuenta de que el punto de vista es tan importante como la cosa en sí. Una mala interpretación —piensa— es capaz de echar a perder la mejor sonata. Perogrullada que no se le ocurrió adaptar a la gente.

—Dentro de unos días podrá regresar «al seno» de su familia.

La muchacha calla.

—¿Se alegra, no? Escriba: Las autoridades manotean en las tinieblas, empeñadas en mantener una moral en completo proceso de descomposición. Paréntesis. Tal vez me adelante a los acontecimientos. Cierre. Madrid agoniza sin violencia, como un tísico que acaba por consunción. ¿Suena bien, no?

—Usted sabe más que yo, excelencia.

—La tranquilidad en el frente acaba de desmoralizar a la población. Aumenta su complejo sentimental depresivo.

Rosa María tiene ganas de gritar.

—Ven en ello una especie de compasión, me-
nosprecio o inbeligerancia. ¿No es cierto?

—Usted tiene buenas fuentes de información.

—Desde luego. Siga. Punto y aparte. Ausente
y mudo el gobierno, dispersas y sin timón las ejecu-
tivas de las distintas agrupaciones, sin moral los jefes
y oficiales del ejército, seca la fe en el triunfo los
soldados, sin pulso la ciudad, un puñado de personas
de relieve parece querer arrogarse, por impulso propio,
el papel de tácitos mandatarios de la República.

—¿No dice usted quiénes?

—Escriba: las cabezas parecen ser los señores
Besteiro, Casado y Mera, con el fin de resolver la
contienda en la forma más humana posible. Punto. La
fecha no parece todavía decidida. Punto. La situación
en la Embajada... ¿Usted qué diría?

—Es del mayor optimismo.

—Está bien.

—Nuestros cuatrocientos refugiados están pendientes de las noticias, dispuestos a abandonar estos
lares...

Don José María Morales se ha apuntado algunos éxitos —que exagera en su «fuero interno»—
porque tiene un excelente informador: Luis Mora,
empleado en la Dirección General de Seguridad.

El gordinflón saca, del cajón central de su es-
critorio, con trabajos, sumiendo la tripa, un papel que
desdobla con cuidado. Dicta:

—Aquí, siempre se ha actuado en grupos. Jamás existieron verdaderos partidos —partidas, sí, y
ahí está la diferencia— (¿Nota la fina apreciación?).
No les une nunca una idea sino la devoción por una
persona. El pensamiento no importa. No hay filósofos
españoles. Aun el partido que se quería más unitario,
el socialista, siempre estuvo fraccionado —hecho pedazos— según las personalidades de sus dirigentes.

No son matices, como en otros países, sino divisiones profundas, de raíz humana, mortales. Y no digamos los anarcosindicalistas que tienen el grupo como su dios —con minúscula— mayor. Lo mismo pasaba con los conservadores con mayúscula—. Por eso el único gobierno español posible fue la monarquía porque el Rey lo era por «la gracia de Dios». Sólo así se consiguió un poco de orden y respeto a las jerarquías. Al fin y al cabo Dios es Dios. —Con mayúscula—. El caudillaje es la única solución nacional.

Don José María dobla el papel, lo guarda.

—¿Qué le parece?

—Muy bien.

Rosa María, por el tono —cuya ironía escapa por completo al sudamericano— sabe que el texto es de León Peralta, que se tiene por escritor político. Don José María Morales entremezcla las noticias con sus dos subalternos oficiosos acabando, con la mayor buena fe, por creerlas redactadas por él.

Luis Mora dice lo que sabe por costumbre, algún dinerillo, una pastilla de jabón, botes de leche condensada. No traiciona, está al tanto, da noticias sin infidencia. No es desleal: sigue viviendo en los cafés donde ha pasado la mayor parte de su vida, amigo de rumores, chismes, revelaciones, noticiones, confidencias. Luego, si no da parte se muere. Tiene que hacerse presente. Pasa de los cuarenta, pequeño, moreno, con bigote alicaído, el cutis triste, el estómago amargo, casposo como el que más; por lo último en la oficina le sobrellaman el *Maladeta,* otros *Sierra Nevada;* granadino, como puede verse. Lo de el *Malafollá,* es exclusiva de Narciso Olmos, el ujier.

—Estará deseando que entren los de Burgos.

—No.

—¿Y por qué?

—Lo mismo me da. Hace más de veinte años que trabajo en la Dirección, sin faltar un día. Entré a los diecisiete. Usted comprenderá que he visto pasar muchos directores, de todos tipos. Mi trabajo no varía: redacto informes según los que me proporcionan. Nunca me han llamado la atención ni he pedido favores. El escalafón y gracias.

—Tendrá sus ideas.

—No lo sé. Tendría que pensarlo. ¿Para qué?

—Hombre feliz.

—Sí y no, según como me levanto.

—Hoy sirve a unos, mañana a otros.

—Igual que ayer a fulano y anteayer a zutano.

Un verdadero diplomático —intenta sonreír.

Don José María aguanta la impertinencia convirtiéndola en halago.

—¿Tiene familia?

—No. ¿Para qué?

Quiere sonreír. No puede; anquilosados los músculos de las mejillas, lo único que consigue, al levantar el labio superior, es enseñar a medias sus dientes amarillos ocuros, dos terrosos, otro negro, para que resalten

—Pero, ¿padres?, ¿hermanos?

—En América.

—¿Se fueron?

—No vinieron.

—¿Nació allá?

—En Cuba, el 96. Me trajo mi abuelo.

El Consejero a.i. mira con gran entusiasmo a Luis Mora. Le regala otra cajetilla de cigarrillos americanos. Sus congéneres tienen tal vez otras fuentes de información de más alcurnia, ninguna tan fidedigna. Nutrirán sus escritos con rumores, buenos deseos, invenciones de subsecretarios, generales o diputados, pero él anda sobre seguro. ¡Lo que es tener un buen agente, un buen redactor, una buena secretaria! Organización se llama esta figura, como la suya: oronda, culona, atajo de ceros. Don José María se ve, cuando acabe la guerra, en premio a sus eminentes servicios, embajador o por lo menos ministro consejero —sin el inri del a. i.— en París o en Roma. O de subsecretario u oficial mayor en su país, aunque eso le gustaría menos; hace veinte años que no pisa su tierra natal, muy olvidada.

Luis Mora vive sin darse cuenta donde siempre se alojó: en una casa de huéspedes en la calle del Barco. Las mujeres nunca le llamaron la atención, los hombres son otra cosa, pero jamás se atrevió a hacerles proposiciones y no se las han hecho, tal vez porque se lava poco. Su placer es el café, mejor dicho los cafés y el café con leche y, después de cenar, el carajillo. En verdad, si desea el fin de la guerra no es tanto por el término de los bombardeos o de la escasez de alimentos como por la posibilidad de tomar café y café con leche «de verdad».

—¿Desea algo más?

—Otro bote de leche condensada si fuera posible y usted tan amable.

Don José María Morales se felicita cada mañana (Eres un hombre estupendo) por haber hallado este mirlo blanco. (No debo tratarlo con tanta consideración —pensó al principio— no se lo vaya a creer... Sin embargo, ¿y si acude a otra parte...?) Fue su gran preocupación hasta el día en que, al azar de un encontronazo, hallaron si no inesperados sí nuevos motivos de entendimiento. Desde entonces, Luis Mora puso más cuidado en sus informes y atuendo, amén de conseguir papeles para algunos refugiados de poca monta para que pudieran andar por la calle sin mayor cuidado. Los tuvo, entre otros, Rosa María Laínez, acogida al recinto diplomático más por su familia que por ella misma.

No es el caso de León Peralta Murube, falangista de pro, a lo que dice —y no hay por qué dudarlo—, de treinta años escasos, muy crecido por y en todo. Licenciado en Derecho y en Filosofía y Letras; delgado de por sí y de hambre, procura ser útil en lo que no sabe: limpia, fija y da esplendor a los suelos de la Embajada. Escoge su trabajo.

—Un señor es un señor, haga lo que haga.

Se ha especializado en limpiar los zapatos de cuantos le pagan, por lo menos, un terrón de azúcar. Lo hace con gusto, goloso, pensando en el mañana y en otros: —Ya me la pagarán.

Barriendo lo encuentra Rosa María Laínez al salir del despacho del orondo.

Rosa María.—¿Estarás contento?

León.—No quepo en mí de alegría.

Rosa María.—Lo dices como si confirmaras que está lloviendo.

León.—Lloviznando.

Rosa María.—Ahora sí.

León.—Ahora sí, ¿qué?

Rosa María.—Se acabó.

León.—Para mí no es nuevo.

Rosa María.—Pero, ¿por qué no atacan?

León.—¿Para qué?

Rosa María.—Hombre, para acabar de una vez. Con las tropas que ya no necesitan en Cataluña...

León.—No se trata sólo de ganar la guerra.

Rosa María.—¿No?

León.—No, sino de cambiar la faz de España.

Rosa María piensa en Víctor. Dio con él en la Zarzuela el día que repusieron *Numancia*. El comandante había ido a ver a Rafael Alberti para que llevaran un grupo de actores al Pardo. Llovía a mares, ella esperaba que escampara.

—¿Te puedo dejar en algún sitio?

En el coche: —¿Entramos en un café?

El *Comandante Rafael* la mira sonriendo, con su cara difícil, tan dispar a derecha e izquierda.

—¿De qué me conoces?

—Estudio, estudiaba —rectifica— en el Conservatorio.

—¿Piano?

—Sí. Creí que andaría por el extranjero.

—¿Por qué?

—No lo sé.

—¿De qué me conoces?

—Le oí tocar un día en casa de las Casadevilla.

—Hace años.

—Tengo buena memoria. Tocó un Impromptu de Schubert, creo que el 24, y un scherzo de Borodin. Luego como todos le insistieran, *La Cathedrale Engloutie*.

—Me habla de otro mundo. (Por eso muere el tuteo.)

—¿Coronel?

—Comandante.

—No entiendo de insignias. ¿Qué hace?

—Mando una división.

—¿Cómo es posible...?

—Es lo que me pregunto. ¿Y usted?

—Yo...

Calla.

—¿Cómo se llama?

—Rosa María —hace una pausa—. Rosa María Laínez.

—¿De Bilbao?

—Sí.

—Ahora soy el que pregunta: ¿cómo aquí?

—Ya ve.

Algo les vincula, sentado uno al lado del otro, trabados de pronto.

—¿No toca nunca el piano?

—Estos últimos años, tal vez dos o tres veces, por casualidad, en casa de algún amigo. Todos los pianos de Madrid está desafinados. ¿Y usted?

—De vez en cuando.

Se miran, sonrientes.

—¿A dónde la llevo?

—Déjeme en esta esquina.

—En el coche no me cuesta nada...

—Déjeme aquí.

—¿No nos volveremos a ver?

—Es difícil.

—¿No tiene teléfono?

—No es mío.

—¿No puedo preguntar por usted?

—Es difícil.

No insistió. Octubre de 1938. Dos meses más tarde, la divisó en la Castellana. Frenó con violencia, sus compañeros protestaron.

—Seguid vosotros. Os alcanzo dentro de un momento, en el despacho del general.

Se le emparejó.

—Hola.

—Hola.

—¿Qué tal?

—Desentumeciéndome las piernas.

Diciembre frío y brillante. Los árboles desnudos, de trecho en trecho segados por la metralla.

—Tenía ganas de volver a verte. (La fuerza de la costumbre del tuteo.)

Andan silenciosos doscientos metros.

—¿A dónde vas?

—A ninguna parte.

—¿Vives por aquí?

—Sí.

Van llegando a La Cibeles.

—¿Cómo es posible...?

—¿Qué?

—Déjalo.

—No: pregunta.

—Que un hombre como usted...

—Habría mucho qué hablar. ¿Qué haces?

—Cómo ¿qué hago?

—Sí.

—Nada.

—Serás la única en Madrid. ¿Dónde comes?

—En casa —una pausa—. Estoy de secretaria.

Se paró a jugar con una guija con la punta del zapato derecho. El piso frío y duro.

—En una embajada sudamericana.

—¿Refugiada?

—Poco más o menos.

—¿Y sales a la calle?

—¿Por qué no?

—¿No te han molestado nunca?

—No.

—¿Cómo lo pasan allá adentro?

—¡Psche!

—¿Estás con tu familia?

—No. Tenía que reunirme con ellos, en Bilbao, el 20 de julio de 1936.

—¿No has intentado salir?

—Tuve miedo. Era muy complicado. Alfaro me llevó a la embajada. Allí me quedé. No creí que iba a durar tanto.

—Ahora no puedo quedarme contigo. Tengo que hacer. Lo siento.

—¿No nos volveremos a ver?

—Es lo que te pregunté hace dos meses.

—¿Cuándo puedes?

—No lo sé. No es fácil.

—¿Te puedo llamar por teléfono?

—Quizá no fuera conveniente.

—Claro que no lo haría desde la embajada.

La mira. Va a hacer una tontería. Hace mucho que no las hace.

—¿Nos encontramos aquí, pasado mañana, a la misma hora?

—Hecho.

Lo mira alejarse, alto, seco, sin volverse, el hombro izquierdo algo más bajo que su contrario.

León Peralta.—Te veo cambiada.

Rosa María.—¿En qué?

León.—Es lo que quisiera saber.

Le hace la rosca. La embajada no es lugar de buenas costumbres.

Le ataja, seca:

—Métete las manos donde te quepan.

—Hija, de algún tiempo a esta parte no hay quien te toque.

—Tú lo has dicho.

—Porque puedo.

Rosa María se educó en casa de su abuela materna, en Delica, cerca de Orduña que, como se sabe, está enclavada en la parte occidental de Álava, en los confines de la provincia de Burgos, donde empieza la hermosa llanura. Delica está rodeada de robledales, hayedos y castañares, a la sombra de la Peña. Por allí corre el Barracarán y el ferrocarril de Bilbao a Miranda de Ebro. Grandes curvas. Más allá está el Nervión. La carretera que viene de Pancorbo rompe y taladra la Peña. Rosa María estudió en el famoso colegio de Orduña, dirigido por las madres de la Compañía de María. Orduña es ciudad de mucho nombre, por el recuerdo de las guerras carlistas; hay más, pero cayó en el olvido.

La madre Victoria fomentó las evidentes disposiciones musicales de la niña, que, a los doce años, continuó sus estudios en Bilbao. Doña María Arrechéguerra de Laínez, en lo que se podía decir, sólo pensaba por medio del padre López, jesuita de más nombre que caletre; don Antonio Laínez hacía frecuentes viajes a París, Londres y Madrid debido a sus negocios y gustos por la opereta vienesa y sus intérpretes. Sin ser niña prodigio, Rosa María tuvo éxitos artísticos, aunque la familia —por el nombre— no le permitió actuar en público. Fue un triunfo, en 1932, el que fuera a Madrid a perfeccionarse en el Conservatorio. Para entonces su padre la había llevado dos veces a París y a Londres. En 1933 empezó a tener relaciones formales con Ramón de Arrillaga, joven bilbaíno de buen ver y estar, ingeniero que hizo sus pruebas en Cardiff. El noviazgo tuvo sus más, en las Arenas, en la playa, ciertas noches de verano de 1935, de mutuo y gozoso acuerdo. El matrimonio debía celebrarse en septiembre del año siguiente. El ajuar tuvo parte principial en la estancia en Madrid de la novia en julio de 1936. El prometido —falangista de segunda ronda— murió el 31 de marzo de 1937 entre Villarreal y Ochandiano, a consecuencia de un fragmentillo de obús que le penetró por la oreja derecha. El mismo día fallecía en Durango, al pie del altar de la iglesia de los jesuitas, bombardeado por la aviación alemana, el padre López. La familia Laínez estaba en San Juan de Luz. Regresaron a Bilbao tres meses después.

—Es difícil, o no —sonríe—, que comprendas —le dice Víctor—. No te voy a hacer un curso ni a dar una lección. Pero el hecho es que todos los que llevábamos algo dentro nos alzamos en contra.

Se nos revolvió el estómago. Nunca había pertenecido a partido alguno. La política, bueno. Uno pensaba en otras cosas. (Como ahora que le mira los ojos azules, el cabello castaño, anchas ondas —mar adentro, braceando poco a poco, sin notar en ningún momento el peligro del agua, seguro de la fuerza mecánica de sus brazos—, hebras que se elevan y deprimen alternativamente con suavidad, largas. Pasarle la mano, entreabiertos los dedos, por la melena acanalada.) Pero que lo que representaba la España que no queríamos se levantara, una vez más, en contra de lo establecido con tantos trabajos, no se podía permitir. Todos a una nos pusimos de acuerdo, sin palabras ni palabrería. ¿Qué se podía hacer? Lo que fuera. Pedimos ser mandados. Claro, tú no puedes comprender.

—¿Pedimos? —se adarga, volviendo atrás, Rosa María.

—Sí. Todos. Es decir, todos mis amigos, de Bergamín a Miguel Hernández, de Adolfo Salazar a Jesús Bal y Gay, de Jiménez Fraud a Miguel Prieto. Todos. Lo sabes, estabas aquí.

—¿Yo?

—Tú, claro: carca, católica y nada sentimental.

—No hagas chistes.

—Es un recuerdo de y por Valle Inclán. Pero no te quisiste enterar y te enteraste. Ya no pensamos en otra cosa. Hacer, hacer, hacer: en el frente, en los periódicos, en los cuarteles, en los museos, en las escuelas.

—Por las calles, por las casas, por la noche, matando a traición —se atreve a decir sin querer.

—¿Quién se levantó?

Rosa María calla, ¿quién la mandó hablar?, ¿quién la obliga? Nadie, ella, que le siente suyo sin que nada le pueda hacer suponer que haya calado su voluntad señoreada. Sus problemas son, como los de todos —no se hace excepción—, de muy diversa índole. Se veía ya no tan joven como para ser deseada, después de que acabara la guerra, por otro caballerito bilbaíno (casar con alguien que no sea vascongado no cabe en cabeza nervionera). Por otra parte, la pérdida de su virginidad a manos —es un decir— de su prometido no era cosa del otro mundo, tal como la tranquilizó, por entonces, su confesor, aunque recomendándole que no volviera a las andadas —otro decir—. Lo que sí fue precisamente del más allá fue la heroica muerte del futuro. Su desaparición la hizo sentirse mancillada y aun llegó a prometerse castidad futura y dedicación constante a las buenas obras. Antes muerta que hacer el menor caso a cualquiera de los doscientos hombres albergados en la embajada. Su orgullo y el de su culpa *(por lo menos se fue al otro mundo habiéndola tenido)* la defendió sin falla.

La aparición de Víctor lo derribó todo. Milagro.

—Primero estuve de traductor, luego en el ejército.

—¿Soldado?

—No, seguí de traductor. Pero parece que tenía madera para mandar. Siempre supuse saber lo que quería. Lo malo que, para conseguirlo, tenía la seguridad de que había que dar muchas vueltas, andar con pies de plomo, hasta el día que descubrí que mandando por las buenas se llegaba antes a la meta. A pesar de que he sido pobre.

—No te entiendo.

—Es natural.

(¿Qué confianza le inspira esta mujer? Su infancia indigente nada tuvo que ver con la decisión de aquellos días de julio. Más bien al contrario: llegado a rico, él sabía a qué precio.)

—Defendemos lo único que vale la pena.

—A fuerza de destrozar, quemar, matar...

—Violar. ¿Te han violado?

Rosa María le mira, ultrajada. Quiere levantarse, irse. No lo hace. No puede.

—Perdona. De sopetón nos dimos cuenta de que servíamos para algo más que para tocar el piano. No es que esté en contra de ello, como comprenderás —sonríe fugazmente—. Pero venían a imponerme a Wagner —odio a Wagner— a Chaikovski —odio a Chaikovski—. No es eso. Hablo por hablar sin poder explicarte. (De verdad, no puede. Ve las calles, los tranvías, los automóviles, las banderas, la luz de aquellos días restallantes, las ventanas iluminadas, las reuniones, los discursos, la radio a cuanto más se la podía oír, los cafés, las discusiones, el ir y venir; tú, a esto; tú, a aquello; tú, ven; tú, vamos; tú, ¿vienes? Rosa María encerrada, empavorecida, dándole vuelta a las noticias, esperando lo contrario de lo que movía a la multitud callejera de la que él formaba parte.) La justicia. ¿Sabes lo que es la justicia? No, no es un atributo divino para premiar virtudes. Es el derecho, la razón que se revuelve pisoteada.

—Eso ha sucedido siempre y en todas partes. ¿O vivíamos en el Paraíso? (¿Por qué hablo? ¿Por qué le contradigo si jamás he visto tal luz en ojos tan duros como los suyos?)

—¿Quién lo dijo? Claro, tú crees en él. Pero, aquí, nos tocaba a nosotros, en aquel momento. No se podía escoger, escogiendo. No había más que un camino, así perdieras cuanto había que perder. A ojos cerrados, empujados hacia adelante, con el pueblo.

—¿Qué tenías que ver con el pueblo? Al pueblo le gusta Chaikovski. (Digo lo que no quiero decir. ¡Calla, Rosa María, por lo que más quieras!)

—¿Con el pueblo? Aunque te extrañe: todo.

—¿Qué es el pueblo?

—La gente que Dios ha puesto sobre la tierra.

—¿Crees en Dios?

—No. No en el que tú crees.

—¿Entonces en cuál?

—En ninguno y en todos. Defendemos a los que nada tienen contra los que lo poseen todo.

—¿No te parece muy elemental?

—Lo es. Pero esto es precisamente lo que nos empujó a todos: lo elemental, lo primario, lo evidente, lo legítimo, lo auténtico, el arranque. Tuve confianza.

—¿En qué?

—En mí.

—¿No la tenías antes?

—No.

La mira, los ojos en los ojos.

—Me crecieron raíces.

—Y te hiciste comunista.

—Sí.

Se extraña de que no le tome la mano, sentados, ni el brazo por la calle; de que no hiciera intento de besarla. ¿Lo desea? Dícese que no.

—¿Y qué esperas de toda esta matanza?

—De la matanza, como es natural, nada. Pero estamos luchando por, por... un poder creador.

—¿Qué es eso?

—No es fácil describírtelo. La esperanza...

—¿De que les guste a todos Stravinski o Ravel?

—Es una buena definición para una alumna del Conservatorio.

—Así, ¿bien separados el bien y el mal?

—No me hagas más tonto de lo que soy. Pero hay ocasiones, y ésta es una de ellas, sin lugar a dudas, en que no hay términos medios. Y esas ocasiones son, además, los resquicios —o las encrucijadas— por las que el mundo da un paso adelante.

—Si crees que la justicia es de este mundo...

—Precisamente porque no lo creo, la busco.

El encuentro con Víctor Terrazas cambió la vida de Rosa María Laínez.

—¿Qué le pasa a esta chica? —pregunta el diplomático sudamericano a Luis Mora.

—Las mujeres...

Llegaron los días de la batalla de Cataluña.

—¿Qué vais a hacer?

—No te entiendo.

—Cuando ocupen todo aquello, ¿qué vais a durar?

—Lo que haga falta.

—¿Para ganar la guerra?

—Claro. Si resistimos lo que debemos resistir no habrá quien nos resista.

—No hagas chistes. Os van a aplastar.

—No te hagas ilusiones.

—¿Yo?

(Decirle que le quiero, que no le quiero perder, que habla a tontas, que el peligro la pone en confusión, que su recato le duele, que —por las noches— desvive, levantándose quebrantada, sin remedio en los días que no le ve, que son los más; que lo da por perdido, perdida por él, todas sus esperanzas por el suelo, despojada de sí, malograda.)

—Te quiero.

Víctor la mira. Sonríe.

—¿Por perdido?

(Hundirse ciega, irse al traste, caer cubierta de cascote y polvo, ruina.)

Sin voz:

—Te hablo en serio.

—Y yo. No, Rosa María. No sirvo para la ocasión. Vales demasiado.

—¿Cómo me puedo comparar a ti?

—No hay manera ni tiempo.

—¿Qué importa el tiempo?

—No me excuso ni me escabullo, Rosa. No soy hombre para ti ni para nadie.

—Llévame.

Entrar, a pie llano, en otro mundo. Escoge, Víctor. No poder decirle... —¿o sí?—. No, no puede. (Una pared de piedras grises sin desbastar, rugosas, con cantos agudos, hirientes; darse de cabeza, que vea su frente sangrando, horro de deseo.) Además, ¿dónde llevarla, cobarde?

Tiene la llave del piso de Rafael Bobadilla, que está, hace meses, en Nueva York; no ha ido por ahí hace más de dos años. ¿Volver? ¿Por qué no? Hacer frente, de una vez. La toma de la mano, como si siempre la hubiese tenido en la suya.

La calle de Alfonso XII, esquina con la de Espalter. Desde el balcón corrido, el último piso, el Retiro desnudo. Todo, adentro, cubierto de polvo. Frío: no queda un cristal sano.

—Señor, señorito... —dijo la portera, estupefacta.

Abren las persianas, chirrían los goznes. El Retiro, hasta donde puede la vista, las ramas muertas (no, rectifica, dormidas). Tristeza del invierno. Vuélvese al oír una nota.

Rosa María ha entreabierto el piano de cola.

Todo está igual: los cuadros, el sofá, la cama turca, los almohadones. Todo polvo y soledad.

—Esto está imposible del frío.

—Y sucio. Se está mejor afuera.

Vuelve a salir al balcón.

—Mira.

Está contra él. Le besa. Víctor la toma en sus brazos, otro.

9

A fines de enero, en el Pardo, una mañana, esperando noticias de Barcelona, habló con Vicente Dalmases.

—Si, por lo menos, organizaran un reducto.

—¿Dónde?

—Como es natural, no lo sé. Por Puigcerdá, donde fuera.

—Los aplastarían con la aviación.

—Debíamos haber pensado antes en esa posibilidad; construido refugios.

—Debíamos haber hecho tantas cosas —una pausa—. ¿Y Asunción?

Vicente se sorprende. El *Comandante Rafael* jamás se ha preocupado de sus relaciones conyugales. Son amigos, compañeros, pero sólo la guerra los ha unido. Hablan del abastecimiento, de las noticias, de fulano o zutano, del servicio; jamás de mujeres.

—En Valencia. Podrías hacer algo para que me mandaran allá aunque sólo fuese unos días, con ocasión de lo que fuera.

Vicente conoce los antecedentes de Víctor Terrazas —que, con la guerra, ha cambiado hasta de nombre—. En la Unión de Intelectuales no callan nada, más si pueden fastidiar a alguien. A Vicente Dalmases no le importa el chismerío, menos el que corriera la voz de que Víctor fuera invertido; sólo una vez, molesto por la insistencia de mal gusto de un compañero, escritor por las circunstancias, le cortó tajante:

—¡Ojalá hubiese muchos maricas de su temple de nuestro lado! Así acabaríamos antes con los «hombres bien caracterizados» de enfrente.

—Estoy enamorado.

Vicente, le mira, interrogante.

—Del otro lado.

—¿Qué?

—Más o menos facha.

—¿Sabe quién eres?

—No lo sé.

No necesita decirle: «Por eso te hablo».

—¿Irrecuperable?

—No lo creo. ¿Fumas?

—Gracias.

Necesitaría mucho tiempo para decir: No lo fui yo. Acaba el cigarrillo.

—Las mujeres nunca me habían llamado la atención. Me ha sacado de un pozo. No sé qué hacer.

Se miran.

—¿Es honrado, en las actuales circunstancias…?

—¿Qué circunstancias?

—Las nuestras. La guerra.

—¿Qué?

—Atarla a mi suerte.

—¿Por qué no?

—Si perdemos…

—¡Qué vamos a perder!

—¿Qué crees tú que digan en el Partido?

—¿Es agente de Burgos?

—¡A qué santo!

—¿Entonces?

¿No será otra cosa? No se atreve a enfrentarse consigo. Él, que jamás duda, que sabe lo que quiere, que no admite debilidades, que va a lo suyo... ¿Qué decirle, qué aconsejarle? ¿Querrá que lo haga o únicamente me ha hablado porque necesita reventar?

—¿Dónde la tienes?

—De cuando en cuando, en mi antigua casa. Quisiera que no saliera de ahí.

—¿Qué problema tiene?

—Ninguno.

Se levanta, abraza a Vicente, los ojos brillantes, grita:

—¡Soy feliz!

Se avergüenza de su arrebato. Da media vuelta.

—Atacamos mañana. Una operación idiota, que no puede resultar.

—¿Por qué se hace?

—Porque hay que hacerla, para ayudar a los catalanes. Sin los medios necesarios. Salgo ahora mismo para El Escorial. Estaba citado con ella en la Castellana. No tengo manera de avisarle. ¿Quieres alargarte hasta allí, a las once, en la esquina de Lista? Ojos azules, alta; seguramente llevará una gabardina clara. Toma las llaves, dáselas, convéncela de que se quede en casa.

—¿Yo?

—Tú, sí. ¿Quién si no?

—No lo sé. Tienes una porrada de amigos.

—No a la mano.

Se llevan diez años; la guerra reduce distancias. Siempre se han entendido bien, pertenecen a la misma célula aunque el *Comandante Rafael* acude pocas veces a las reuniones.

—¿Cómo se llama?

—Rosa María.

—¿Rosa María?

—Sí.

—Vengo de parte del *Comandante Rafael*.

Ve la indecisión.

—De Víctor. No le es posible venir. Soy amigo suyo.

La mujer no contesta, sin saber a qué atenerse. Huele una trampa. Mira a Vicente, cerrada, hostil.

—Me dio las llaves de su casa para que se las entregara.

—¿Las tiene?

—Sí.

—Démelas. ¿Algo más?

—Quisiera que se fuera a vivir allí. Me dijo: convéncela —sonríe—. No creo que vaya a ser fácil, a menos que ya estuviera decidida.

—¿Cuándo le verá?

—Lo ignoro. Tal vez luego, quizá dentro de tres, cuatro o cinco días.

—O nunca.

—No lo sé. Tiene suerte —sonríe—, lo digo también por usted.

Rosa María Laínez no contesta. Se aleja con las llaves en la mano. Vicente sabe que es inútil preguntarle nada: va a pensarlo. ¿Y si se queda con las llaves? De no ir —supone para tranquilizarse—, las dejará en la portería. Guapa, huraña, agria, ¿vasca?, tal vez navarra. Sí, navarra, algunas parecen de palo. Seguramente no lo son, pero lo parecen.

10

Lo primero en que pensó Rosa María cuando tomó posesión del piso fue en afinar el piano. Consultó la guía de teléfonos; tres casas no le contestaron, otras dos le dijeron que no podían servirla, en la última le indicaron que viera a unos viejos, en la calle de Valverde, en el 32. Fue. Encontró a dos ancianos y a Fidel Muñoz, que en tiempos fue portero de la casa y va, de cuando en cuando, a charlar. Rigoberto Cuenca prometió a Rosa María ir al día siguiente a «hacer lo que pudiera».

—Ya soy muy duro de oído.

Rosa María le dio la dirección.

—¿Es un Erard?

—Sí.

—Lo conozco. Allí vivía un pintor, amigo de don Daniel Miralles —dice a Fidel—. Compró el piano para aquella buena pieza de Víctor Terrazas. Se conocieron aquí, al lado, en la tienda de don Ulpiano. ¿Se acuerda? ¿Qué ha sido de ellos?

Rosa María no se atreve a chistar.

—A don Daniel lo evacuaron con eso de los intelectuales. Creo que luego se ha ido a Francia, con

su hija mayor y la retahila de nietos. El yerno, aquel
punto sevillano, está de no sé qué, en una embajada,
en Bélgica o en Holanda o no sé donde. ¡Los líos que
armó con doña Clementina, que en paz descanse!
¿Se acuerda? A don Ulpiano lo pasearon el primer
día, o el segundo. Con el padre de su yerno... [1]

Cuando Vicente Dalmases le dio las llaves,
regresó a la Embajada, cogió un cepillo de dientes y
un pijama, que escondió en los bolsillos de su gabardina, salió sin que se diera cuenta oyendo que don
José María la reclamaba.

Fue andando lentamente por el Retiro. A lo
lejos, retumbaba seguido el ruido de la guerra.

—Hacer morir a la gente, a tu gente, porque
sí, es el horror más grande de la guerra. «Tomad
aquella loma.» Lo digo porque creo que debe hacerse.
A eso llaman una operación... Se lanzan a hacerla y
mueren. Mueren por la boca, como los peces, pero
la boca no es la suya, sino la mía.

Se refugia en el hombro desnudo de Rosa María, ebria de dicha: madre, amante, hermana, discí-
pula.

¿Qué diría mi madre al saberme aquí y así?
Su madre, que la quiso niño y la dejó al cuidado de
su abuela, soñando grandezas y muriéndose de celos
a los que no daba pie, en Bilbao, el rico señor de
Laínez.

—¿A qué hora vendrá?

Sola, a oscuras —no hay perillas, y aunque
las hubiese, esta noche han cortado la corriente de

---

[1] V. *La calle de Valverde*. En julio de 1936, a don Joaquín Dabella, el padre, se le ocurrió ocultarse en la casa tra-
sera de Ulpiano Miranda. Marga y Joaquín vivían en La Coruña, donde les había llevado el gobernador republicano, muy
amigo de ambos. Nadie sabe de ellos. Cáncer que roe a Fidel
Muñoz.

la luz eléctrica —acurrucada en un rincón de la bien
amueblada y helada sala se recrimina concienzuda-
mente. Incapaz, en toda su vida —que le parece ya
larguísima— de hacer lo que debía. No debió entregarse a su novio, no debió quedarse en Madrid. (Lo
hizo suponiendo la guerra corta, por no dejar de la
mano a la costurera encargada de sus galas nupciales.)
Luego, en verdad, tuvo miedo; salir bajo la protec-
ción de autoridades republicanas, fiarse de una palabra
en la que tenía por principio no creer o recurrir a
nombre supuesto o al soborno fueron soluciones que
rechazó una tras otra. Cuando ya ulcerada quiso
—como fuera— marcharse, el Encargado de Negocios
a.i. la disuadió (dejando aparte su conveniencia personal): los últimos refugiados que debían haber embarcado en Alicante quedaron allí, vegetando en la
cárcel.

—No puedo asumir esta responsabilidad y así
lo hago saber a su señor padre.

La tercera gran tontería era la que la tenía
allí, apretadas las rodillas entre sus brazos, transida
y hambrienta. ¿Quién era Víctor? Un músico— un
pianista— conocido, brillante, un enemigo a punto
de ser derrotado por los suyos. Dos años y medio
resistiendo encerrada el acoso de veinte hombres de
su clase y manera de pensar para venir a caer, a última hora, en la calle, con un ser extraño —extraño
en todo—. Se subleva contra ella misma sin dejar de
sentir cierta admiración por lo que ha sido capaz de
hacer.

—¿A qué hora vendrá?

Transida de frío (a pesar de las dos mantas
que encontró en los cajones de una cómoda y en las
que se envolvió como un cucurucho, *las castañas calientes de sus años niños)*, se desespera. ¿Qué hace,
qué hizo, qué vale, de qué sirve? Echó su vida por la

borda. Si no lo hubiese hecho, lo mismo daba. Se ha perdido en el bosque de la soledad de sus veinte años. La culpa la tiene su madre, tan distante. ¿Quién más lejos, ella de su madre o su madre de ella? No hay reciprocidad; las distancias varían aun entre dos puntos fijos; lo diferente, el espacio. Su madre que siempre se creyó más, mucho más que ella. Ella, un accidente —debió ser hijo— sin contar que —proclama cariacontecida— la imposibilitó para tener otros. Rosa María sabe que no es cierto, que así lo asegura, pero que falta a la verdad; no quiso, presa de un horror invencible al parto prolongado que la trajo difícilmente al mundo. El marido consintió. Su padre, también culpable, tan distante. Me ves y te veo, te quiero y me quieres, te llevo y me llevas, tú y yo, jamás uno. De la enamorada de su padre nada quedó. Más cuando, llegada de improviso a San Juan de Luz, un verano, sorprendió en su cuarto a una joven que se maldespidió. No hubo comentario.

   ¿De qué sirve vivir haciendo tanto frío? El hambre roe, la soledad impone. Tengo miedo. Eso que corre ¿son ratas? Silencio enorme del Retiro sin viento. El ruido sordo de unos tanques. Van a disparar, van a matar. Aquí, acurrucada, muerta de frío. Muerta, no. Viva. Asquerosamente viva. ¿Qué no resiste el hombre? Gusano, gusanera. Esta cama infectada de gusanos. ¿Qué soy? ¿Qué he venido a ser? Todos estos que han vivido conmigo estos últimos dos años, encerrados en esa ratonera, ese mugriento gordo invertido; ese pedante agudo, asesino en deseo de León Peralta; Tomás Hernández que huele mal; Marisa su mujer, deshecha de cólicos; ese Félix Álvarez preocupado a todas horas de sus bienes intervenidos; ese abrillantinado repugnante de Rebolledo, traidor a sí mismo, hablando mal de lo que fue; ese Manuel López, rascándose su sarna; ese Cipriano Domínguez

Llerena, llorón amargo y resentido; esa Pilar; esa Imelda; esa Juana; esa Teresa Gallegos, reconcomida; envidiosas, necias. ¡Señor!, ¿qué somos?, ¿a qué vinimos? Llenos de inseguridades, deficiencias, torpezas, groserías, lesiones, fealdad, ¿de qué adolecemos? Insensibles los unos para con los otros, en carne viva para lo propio, embotados, sin sentido, insidiosos, desubstanciados, vacilamos impenitentes. La guerra, sí; pero algo más, inestable, que nos vuelve ineptos. La música, sí. Si no hiciera tanto frío me levantaría y me pondría a tocar el piano a pesar del escándalo que provocaría. Pero hace demasiado frío. Torpe, débil. ¿El hambre? Tengo hambre. No es el hambre, Rosa María, sino algo más hondo. No me encuentro, y no estoy perdida, estoy aquí, esperando a un hombre que hace tres días que no viene, tan insegura de mí, tan desquiciada que tengo la impresión de que, de moverme, caería en pedazos. No hecha pedazos como aquélla: la calle, la explosión, el polvo, la sangre, los trozos. *Muy frágil.* Metida en una caja como aquella lámpara checa que llegó de Praga, hecha añicos. (Estaba asegurada, la repusieron.) No estoy asegurada. ¿Quién está asegurado? Víctor. Tampoco. Antes de conocerme, quizá. Me quiere para asegurarse. Le robé la tranquilidad. Me robó. Esto, lo nuestro, no puede tener solución; nada tiene solución. Mentira. Todos vamos hacia la ruina. Mundo aplastado y helado. Todos hechos polvo hasta el día del Juicio Final. ¿Cómo me justificaré? Confesarme. Le hace falta confesarse, acusarse, que la perdonen. Que la perdonen de ser como es, de que perdonen al mundo de ser como es, con tanto frío. El mar, la playa, Las Arenas, el sol, el calor, el verano, el pasado, la paz. El orden. No padece ella, insensible al frío, sino la tierra, el aire, los demás. El aire angustiado, la tierra herida. La injusticia. La injusticia

vuelta justicia o al revés. Todo lo mismo. Lo justo
—para ella—, injusto para Víctor y el revés, verdad
también. El mundo: asco frío. Los demás: un conglo-
merado de bazofia, y ella: bazofia, y Víctor: bazofia.
Bazofia pura. La pureza de la bazofia. ¿Por qué no?
Y el vuelco: entra. ¡Oh, sol!

—¿Qué te pasa?

—A mí nada.

—¿Qué pasa?

—Exactamente no lo sé, pero algo sucede.

Nunca habla del curso de la guerra. Queda
un rescoldo de desconfianza en la conciecia del hombre.

—¿Malo?

—Vamos a verlo.

—¿No te quedas a dormir?

—No.

—¿De veras no puedes?

—Crees que si pudiera...

Lo cree, está segura.

—Si pasara algo, no te muevas, no salgas.
Ponte de acuerdo con la portera para lo que necesites.
Ya le dije.

Rosa María no pregunta, reconcomida de impaciencia de saber. No debe hacerlo, no lo hace.

—Adiós, mi vida.

—Hasta mañana.

—Ojalá.

11

Con la noche aterriza el Douglas en el improvi-
sado campo de Monóvar, del tamaño de la palma de la
mano. Ni una casa, ni un árbol. A la posición *Yuste,*
cuatro kilómetros; Elda, al lado.

Alrededor de la finca todo es jardín o huerta;
de noche no se sabe: se divisan arbustos, troncos,
ramas en lo oscuro. Cinco escalones para entrar en
la casa. Ancho, profundo zaguán; al fondo, otros escalones dan a la estancia, no muy grande, donde se
va a celebrar el Consejo de Ministros. Una mesa cua-
drada, del tamaño normal en un comedor de casa aco-
modada. Pegado a la pared, tras el sillón del Presidente, el pegote caoba y negro del teléfono. Al lado,
un corredor y una habitación con dos camas. Del zaguán, a la izquierda, bajo una escalera al amplio sótano que sirve de comedor.

Se llega a la finca por una desviación de la
carretera de Albacete a Alicante: Villena, Sax, Elda,
Monforte (el ferrocarril: Villena, Sax, Elda, Petrel,
Monóvar, Novelda, San Vicente). En las cimas de los
alcores, resto de fortificaciones, que esta tierra fue tan
disputada o más que las otras de España. Casas en-

caladas, peñascos abruptos, lomerío fino. Las piedras, a ras de suelo, asoman su esqueleto blancuzco. Yerbajos secos del invierno. Nada detiene el vientecillo frío. La madre es el Vinalopó que da cuanto tiene a las huertas del ancho valle cortado por montes; de tanto entregarse a la tierra pierde hasta su nombre: le llaman rambla de Sax, de Elda, de Monóvar, de Novelda, como si fuera exclusivo de cada pueblo.

Elda está en una altura, a la izquierda del río. Huerta y secano, almendros y esparto, todas las hortalizas del mundo conocido. Iglesias, convento, teatro y el recuerdo de la traición hecha a los liberales el 5 (siempre el 5) de febrero de 1844, cuando al grito de «¡Viva la libertad! ¡Todos somos uno!» el general Boneto mató a mansalva a los que engañó. Elda es un pueblo de abolengo liberal. Corre el viento sin nada' que le detenga. Silbo, llovizna, luz oscura.

En las paredes encaladas de la sala no queda más que el teléfono colgado tras el sillón del Presidente del Consejo, que está leyendo pausadamente. Bajo la mesa una alfombra de yute. Diez personas escuchan la alocución que piensa pronunciar al día siguiente, en Madrid. Suena el teléfono. Juan Negrín —robusto, de buen color— alza la mano derecha y toma el auricular.

—Aquí, Negrín.

Una ligerísima pausa.

—¿Cómo está usted, general?

Una pausa. Todos pendientes.

—¿Cómo? ¿Qué dice usted? ¿Que se ha sublevado? ¡Qué locura! ¡Queda usted destituido!

Cuelga. A todos:

—Casado.

Se levantan. El Subsecretario de Guerra, el Jefe de la Aviación salen para usar el teléfono que está en el comedor. Giner de los Ríos pide permiso para hablar con Besteiro. Tardan en darle la comunicación. Sube el tono. Grita que es el Ministro de Comunicaciones. En Alicante, en Madrid, las operadoras no parecen impresionarse. Pasa más de media hora antes de que pueda irse de boca con el profesor:

—¿Qué vais a hacer? Estáis locos.

—Estáte tranquilo. No pasa nada. Te espero mañana. Lo tenemos todo en la mano.

—Estás loco.

—Te espero mañana.

—Ni mañana ni nunca. No sabéis la barbaridad que estáis haciendo.

—Vosotros no podéis hacer ya nada. Tu obligación, como republicano, es estar aquí, con nosotros, contra los comunistas.

—Conoces mi posición. Pero antes que nada soy leal al gobierno del que formo parte. Sin contar que es el único poder legítimo.

—Pero es que te pueden fusilar.

—¿Es una razón?

El Ministro de la Gobernación intenta comunicarse con Casado. En la puerta de la sala, Negrín está hablando con el general Miaja y con Matallana, que bajaron al zaguán.

—Tengo que volver a Valencia —dice el famoso defensor de Madrid.

—Hace usted más falta aquí, mi general.

—No, señor Presidente, en Valencia puede pasar cualquier cosa.

—Quédese, general.

—Créame, don Juan. Tengo que ir preciso a Valencia. Hago falta allí. No creo que desconfíe usted de mí, y, si no, aquí le dejo a Matallana.

El Jefe del Estado Mayor de Miaja escucha. Fino, inteligente.

—Bueno, haga lo que quiera.

En el sótano, Paulino Gómez consigue por fin hablar con Casado.

—Mire usted, Paulino, no puede ser. Ya hemos dado este paso y no vamos a rectificar.

—Es una locura.

—No, no es una locura. Era preciso tomar esta resolución para que no se siga derramando más sangre inútilmente.

—Será peor, para todos.

—Tenemos tomadas todas nuestras precauciones.

—Es una barbaridad. Vuélvanse atrás.

—No, no insista. Lo siento, la suerte está echada y ya no retrocedo.

Giner de los Ríos llama al coronel Camacho, jefe del aeródromo de Albacete.

—¿Tiene ahí los cuatro Douglas?

—Sólo me quedan dos.

—Que estén aquí a las seis de la mañana.

Interrumpen la comunicación. Baja al comedor, donde no hay nada que comer. Negrín y Álvarez del Vayo se encierran en su habitación. Hidalgo de Cisneros intenta comunicarse con Casado. Cordón con los jefes de las unidades. No logran hacerlo.

Sin teléfono, sin radio, cortados del mundo, el general Matallana pide permiso para hablar con el general Menéndez, Jefe del Ejército de Levante. Al asombro de todos lo consigue sin dificultad.

—Aquí, Matallana.

—¿Desde dónde me hablas?

—Posición *Yuste.*

—Ahora mismo mando la tropa necesaria para liberarte y fusilar a todo el Gobierno.

—No hagas barbaridades, Leopoldo.

Cortan la comunicación.

—Váyase, mi general —le dice Negrín.

Matallana se cuadra, lágrimas en los ojos.

12

¿Qué vamos a comer mañana? ¿A qué hora
me levantaré para hacer la cola del carbón? ¿Irá papá
a la de...? ¿Qué vamos a comer mañana? Comer.
¿Qué comería si pudiera comer lo que quisiera? El
escaparate del ultramarinos de la esquina hace tres
años ¿Qué había? No lo recuerdo, no lo supe nunca.
No me importaba. Salchichón, jamón, embuchado,
mortadela, las morcillas que trajo Vicente de Valencia, chorizos, longanizas, sobreasada, ¿eran morcillas
o butifarras lo que trajo Vicente? ¿Qué diferencia
hay entre las morcillas y las butifarras? La choricería
del otro lado, la laja de mármol blanco, la balanza de
cobre; el delantal blanco manchado de sangre, la cara
granulosa, grande, gorda, redonda del choricero; sus
manos infladas, sus dedos abotagados: otros embu-
tidos.

¿Qué vamos a comer mañana? Lentejas, alubias, garbanzos, ¡si hubiese alubias! Judías blancas,
manchadas, pintas; habichuelas, habas, habas verdes,
judías verdes, *bachoquetes* como dice Vicente. Lentejas, otra vez lentejas, más lentejas. Escogerlas. Los
disquillos pardos entremezclados con mil piedras. Gui-

santes, arvejas, judías— *fésols,* dice Vicente—. Cacahuetes, altramuces: tan frescos, amarillos fuertes y claros, salados; no me gustaban, ahora se me hace la boca agua al recordarlos. Comeremos algarrobas, como si fuésemos cerdos. ¿Comen algarrobas los cerdos? No lo sé: mi ignorancia total de las cosas del campo. Las gallinas comían maíz, cuando había gallinas. ¿Qué vamos a poder comer mañana? La cola del pan, la cola de la leche. El queso, la manteca, la cuajada, poder beber leche a pico de pichel. La nata en los labios. Recogerla con la lengua. Un hijo. Tener un hijo de Vicente. No me quiere. Le quiero. Lo sabe. No me importa. No me quiere, no vino hoy. ¿Qué va a pasar? ¿Qué vamos a comer mañana? A lo mejor se presenta con un chusco, como ayer: ayer, no: anteayer. ¿Qué va a pasar? ¿Qué le va a pasar? Después de la guerra, ¿qué? Se irá a Valencia. No, se esconderá aquí. Podríamos tenerle en Getafe el tiempo que hiciera falta: levantar una pared al fondo del comedor. Nadie se daría cuenta. Me reuniría con él todas las noches. Le llevaría de comer. Cuando se acabe la guerra ya no habrá problemas de comida. Por de pronto, ¿qué vamos a...? Ya lo veré, ya lo veremos. No quiero pensar más en eso. Una lonja enorme de jamón —tan grande como la cama—, con su grasa blanca alrededor —como el embozo—, enrollarla, pegarle un mordisco; un enorme trozo de jamón: blando, saladillo, grasoso, en la boca; sentirlo como lo siento ahora, deshaciéndose. ¡Qué hambre! Asunción, rubia, con cerca de diez años menos que yo. La odio. ¿La odio? No. Me entendería con ella. La mataría. Podría morirse, de enfermedad, pero morirse. Entonces no habría problema. ¿Qué vamos a comer mañana? Qué están dando, ¿las once o las doce? Dar... Nadie da nada. Yo, a Vicente, todo. ¿Por qué no vendría hoy? Hoy que ya es mañana.

II. *6 de marzo*

1

—Traigo este pliego del coronel Barceló para entregárselo personalmente a *Pasionaria*.

Las tres de la mañana. Tuvieron que arreglar el carburador en Almansa. La posición *Dácar* es una casa sencilla, en la carretera, a la salida de Elda.

—Dámelo.

—Tengo orden de entregarlo personalmente.

—Entonces, espera.

Hay mucha gente. Vicente Dalmases reconoce, estupefacto, a los generales Hidalgo de Cisneros, Cordón, Modesto, al coronel Núñez Maza; se cuadra ante su ex jefe, Líster. Llegan Uribe y Moix, ministros de Agricultura y Trabajo: la plana mayor del partido comunista.

—Dicen que se han sublevado por vuestros nombramientos —dice Uribe a los militares—, que no se podía ascender a menos de ser del Partido.

—Entonces, Casado, a más de cabrón, es adivino. Porque cuando me habló veladamente de levantarse —y no tan veladamente—, hace diez días, no había nada de eso —dice Ignacio Hidalgo de Cisneros.

—Que pases.

Una habitación cualquiera. Dolores con dos personas; reconoce a una de ellas: *Ercoli.*

—Está bien, gracias.

—¿Qué hago? ¿Vuelvo a Madrid?

—Descansa un rato. Se ve que lo necesitas.

—¿Puedo ir a dormir a Monóvar?

—¿Por qué?

—Tengo familia; bueno: amigos.

—Anda.

Vicente vuelve rápidamente al coche, furioso consigo mismo.

«¿Es éste el libre albedrío? Por qué en vez de decir: —¿Vuelvo a Madrid?, no dije: —¿Puedo ir a Valencia? ¿Por qué en vez de Monóvar no dije Alcira o Játiva? ¿Porque, tal como era de suponer, se ha sublevado Casado? ¿Puede más en mí la guerra que Asunción? Curiosa mezcla: ir a ver a mi *tío* y regresar a Madrid... ¿En qué pensaba? Me dejé vencer por las palabras, por la palabra *Madrid*. No es la palabra sino la capital, la palabra capital desde hace dos años. Ahora sí, ahora pediría: —¿Puedo ir a Valencia? O creo que sería capaz de pedirlo. Cuando necesito más dominio de mí mismo se me va el santo al cielo. Tal vez podría hablar con Asunción por teléfono y decirle que viniera, a poco que pudiese. ¿Qué va a suceder en Madrid? ¡Bah! En un dos por tres acabará el Gobierno con lo de ese loco, que puede contar —a lo sumo— con el IV Cuerpo de Ejército. Los otros tres son nuestros y bien nuestros.

Alcores, líneas de bancales, blancuzcos en la noche, olivos en los declives de las colinas pedregosas de las laderas del alto Cid, invisible.

En unos minutos llegan a Monóvar. La plaza del Ayuntamiento. Vicente conoce la casa.

—Ahí, esa de dos pisos —se extraña—: Todavía hay luz.

Gabriel Moya y Moya, su *tío,* registrador de la propiedad, goza de prestigio entre republicanos y socialistas. Su padre fue amigo de Salmerón. Perseguido por la dictadura de Primo de Rivera, don Gabriel fue alcalde con la República. En julio de 1936, dejó el puesto en manos de un galerero socialista, pero siguió siendo respetado por todos. Está casado con una buena señora —doña Margarita— perfectamente insignificante; no han tenido hijos. La mayor gloria del registrador es su amistad con el señor Martínez Ruiz, más conocido por su alias literario: *Azorín.* Don Gabriel intervino en la representación de *Angelita,* obra que el gran escritor ofreció a sus conciudadanos de Monóvar. A este evento asistió José Dalmases, su amigo y compañero de carrera, ingresado en las mismas oposiciones del año 1910. Cuando va a Valencia come todos los días en su casa.

Ahora, Vicente, a pesar de la hora intempestiva, le va a visitar. Le sabe amigo de trasnochar, leyendo mucho. Tarda en abrir, asustado. Le encuentra muy envejecido. La pérdida de la guerra, que no se le oculta, al revés que a tantos compañeros de su joven visitante, le tiene muy preocupado. Cree que lo primero que harán los rebeldes al posesionarse del pueblo es fusilarle: odian más a los liberales que a los libertarios o a los socialistas. El registrador está decidido a expatriarse. Lo que más siente es abandonar su biblioteca. Aunque pudiese —no ve cómo— no le parece decente llevársela; sin contar que el que permanezca en el pueblo supone una razón poderosa —un si es no es mágica— para acelerar su vuelta, de la que no duda.

La victoria de la reacción no puede ser duradera —asegura—, más ahora que el pueblo ha podido gozar algún tiempo de sus derechos y de libertad, libre de curas, a los que achaca todos los males patrios.

Lo que hace —por la noche— es emparedar volúmenes en el desván, empezando por los ejemplares que supone serían destruidos sin remedio por los vencedores. Sólo llevaría consigo unos cuantos de *Azorín* dedicados parca, afectuosamente.

Lleva a cabo la operación con la sola ayuda de su mujer. Entre los dos trasegan. Cuando haya que alzar el muro lo hará con Ignacio, un viejo servidor que arrastra por el huerto y la huerta sus recuerdos de hace mil años.

Vicente ayuda a subir los libros al sobrado. Luego, mientras le sirven algo de comer (—Perdona, hijo, pero nosotros seguimos...), Vicente hojea la primera edición de *Lecturas españolas.* —¿Dónde aquel gazpacho famoso de conejo?—. Como siempre —mala costumbre— lee primero las últimas páginas. Nunca ha sido aficionado al escritor levantino. Ahora se sorprende de la diferencia entre las descripciones de los pueblos que conoce y la realidad. No se da cuenta de que se ha hecho hombre en un período excepcional.

«Voy por las tardes a dar largos paseos por mis tierras. Converso con los labriegos. Les pregunto mil cosas relativas a la labranza. Me cuentan las impresiones de sus vidas: vidas vulgares, uniformes, en las cuales no ha ocurrido nunca nada. Si alguno ha pasado por Madrid para ir a segar a las tierras lejanas, se dice lo que le ha parecido Madrid...»

Que les pregunten hoy... Pasa la página:

«Ningún lugar mejor que estos parajes para meditar sobre nuestro pasado y nuestro presente. Causa de la decadencia de España han sido las guerras, la aversión al trabajo, el abandono de la tierra, la falta de curiosidad intelectual; convienen en ello —como habrá visto el lector— Saavedra Fajardo, Gracián, Cadalso, Larra. No hay más aplanadora y abrumadora calamidad para un pueblo que la falta de curiosidad por las cosas del espíritu; se originan de ahí todos los males. Se originan de ahí la ausencia de examen, de comparación, de apreciación, de crítica. De crítica engendradora de adhesión y de repulsión, de entusiasmo y de hostilidad...» A Vicente le molesta la repetición, la cantinela empleada constantemente por *Azorín*. ¿Qué España es ésta que el monovarense retrata en su libro? Parecen páginas escritas hace siglos. Nada tienen que ver con la realidad que ha vivido estos últimos años. ¿Habrá cambiado tanto España con la República? Es posible, es seguro. Por todas partes corre un perceptible afán de saber. El libro de *Azorín* acaba diciendo: «No saldrá España de su marasmo secular mientras no haya millares y millares de hombres ávidos de conocer y comprender.» ¿Cómo es posible que ese cambio haya sido tan repentino? Por todas partes corre un perceptible afán de saber. Que él sepa nadie maldice la guerra. Todo era, hasta ayer, entusiasmo. Hasta ayer... Le parece imposible, pase lo que pase— no se pone a examinar el qué—, que esta exaltación pueda extinguirse, venir a nada. Se lo dice al viejo amigo de su padre.

—Ojalá —dice éste—. Entusiasmo, Vicente, no ha faltado.

—No falta.

—Entusiasmo, sobrino, es exaltación, inspiración divina de los profetas, furor de las sibilas al dar sus oráculos. Lo dice el diccionario (don Gabriel es apasionado lector del diccionario de la Academia Española). Fogosidad pasajera. Los españoles somos muy entusiastas y muy burros. No lo digo peyorativamente sino por aquello de *salida de caballo andaluz y parada de burro gallego*. Pero es hora de que descanses, quedan pocas horas de noche.

El cuarto huele a espliego. Vicente vuelve a su niñez.

2

—Nací aquí, en la calle de Jardines, por aquí he de morir. En general, a las mujeres de la calle, como yo, les gusta viajar, ver mundo. A mí me tiene sin cuidado. Los hombres se pasan el tiempo, discutiendo lo suyo como si importara ser de aquí, de allá, de enfrente o de donde sea. Son hombres y yo soy una mujer —creo, ¿no?— y la diferencia es lo que cuenta, ha *contao* y contará. Lo demás, leche.

—Hay tiempo para todo.

—Ésa es la equivocación. Aquí, en este mundo no hay más que el... (cierra el puño moviéndolo groseramente) y lo demás, cuentos. Yo nací aquí, me crié aquí y aquí moriré. No te digo que me querían evacuar... De la evacuación les hablé yo en el sentido que te puedes figurar. ¿Que no conozco San Sebastián? Pues que se chinche San Sebastián ¿Que no he visto el mar? Otros no han visto la calle de Alcalá, que es más *nombrá*. Que se fastidien las olas. Una es de donde ha *nacío*, para eso nos puso Dios y aquí y no en otro sitio. Hasta reventar.

Preciosa, morenísima, de cara ovalada, color aceituno, ojos de gato. No emplea afeites —habría que habérselos fabricado especiales.

—Me dicen la *Gitana*. Bueno... Mi padre era de la Cava Baja y mi madre de Chamberí, como si fuese zarzuela.

Algo tiene de ella. Disparatada.

—Me perdió mi madre. *¡Arrastrá!*, me gritaba porque me gustaba estar en la calle. A mí me gustan las gentes que pasan, los escaparates, las cosas que ponen allí. No ir más allá de donde se puede ir andando. Que no me hablen de autos, de coches: la carroza de San Fernando. Jamás he tomado el metro. ¿Para qué? A veces me han *metío* en un *Renó*. Conozco Aranjuez, Alcalá, la Cuesta de las Perdices. ¿Y qué? Lo que le gusta a una es lo que conoce. Es como la música o el cocido —cuando lo había—. Lo único que varía de verdad son los hombres. A mí me gustan. Cuanto más hombres mejor. No sigas ahí como un *pasmao*. Anda, muévete. ¿O es que ya no puedes? Picha floja.

Julián la mira fascinado. Le hablaron de ella pero mejora lo imaginable. Sin duda, para todos los días y a todas horas, excesiva aun sin contar con Mercedes.

Preciosa: Murillo. Y que se fastidien los que no hallan gusto en la perfección. Los labios gordezuelos, la barbilla ovalada, la nariz recta con las alas suficientemente elásticas para hincharse con suavidad al olor de su gusto. Los ojos del color del vino verde lusitano. Las pestañas negras, largas, reforzando las grandes, hondas ojeras puestas ahí para abrillantar la mirada.

—A mí no me preña nadie. No quiero. ¿Para qué? ¿Para que mis hijos tengan otros y vengan estas mierdas de guerras y se pasen el tiempo discutiendo que si éste, que si esto, que si esto y lo otro y lo de más allá? Que si soy de Bilbao o de Sevilla, de que si Málaga no sirve ni para descalzar a La Coruña.

¡No, hijo, no! Ya está bien. Esta hija de su madre es el acabóse. De aquí al Este. Por lo visto y lo que no se ve, el que está *acabao* eres tú. Anda a aviarte que vas *aviao*. Paga y vámonos.

—Todavía no es de día —bosteza Julián Templado.

—¡Cómo se ve que no tienes que ir a hacer cola! En casa nos toca a todos —a mi madre y a mis dos hermanas —día sí y otro también. Eso sí, variamos, a una le toca un día la leche— que no hay nunca—, a otra el carbón, a otra el pan. Cosa de nunca acabar. Aunque esto ya no puede durar mucho.

—¿Por qué lo dices?

—Parece que ésos se han sublevado.

—¿Quiénes?

—Los de ahí al *lao*.

(Ahí «al lao», en el Ministerio de Hacienda.)

—¿Ahora eres tú el que tiene prisa?

Por una puta me tenía que enterar, se dice Julián Templado.

—Hasta cuando quieras.

—Ojalá, *Gitana*.

Don Manuel, transido, en la cola del carbón. Largas filas de botes, vasijas, cacharros, pozales, una jofaina, un orinal, un barreño, dan vuelta a la manzana. Sus propietarios, repartidos en varios portales, resguardándose del frío, acolchados en el sueño que los ronda. Todavía es de noche.

La proclamación del Consejo —que la mayoría llama Junta—, oída por algunos, no hace mayor mella. No acaban de entender lo sucedido. Algo que dura cerca de tres años no puede variar del todo en todo, por una proclama, de la noche a la mañana. El *Espiritista* se conmueve, por lo que representa para Vicente, a salvo, por él.

—A los dos fueron por los dos chicos de la Anselma.

—¿Esos de la policía?

—Sí, de las Juventudes.

—Ahora parece que van a mandar los sindicalistas.

El viejo no puede reprimirse:

—¡Yo lo sabía, lo sabía!

—¿Qué sabía, franchute?

Le conocen.

—Que eso tenía que pasar.

—Usted, siempre en el secreto.

—No es ningún secreto: me lo había dicho.

—¿Quién?

—Yo me lo sé. Por eso se fue.

—Usted está *chalao*.

—Es posible —dice don Manuel recogiendo velas.

Vicente a salvo. ¡Gracias, Jesucristo! Tú me sañalas el camino y el suyo. Ahora se lo puedo decir a Lola, a ver si de una vez se convence.

Asoma la dudosa luz del día rastrero.

La *Gitana* llega al portal vecino, embozada en un inverosímil abrigo de pieles que luce su cuero en cuello, codos y sentaderas. Bosteza a más no poder.

—Ahí viene el *ojeto* de arte.

—¡Qué ojeto: el ojete!

Una vieja: —Ésa no debía estar en esta cola.

—Pos, ¿en dónde, tía gamberra?

—En la de la leche. Todavía hay clases.

La *Gitana* se encoge de hombros:

—Estaba con uno del gobierno que ni siquiera se había *enterao* —le dice a Ángeles, una chata de la que se ha hecho amiga.

—Naturaca.

—Tú, ahora, ¿a dormir, no?

—De tantas *charranás,* me ha *dao* por el *insornio.*

4

En la posición *Yuste,* a las seis de la mañana, tras haber hablado largamente con Álvarez del Vayo, Juan Negrín sale de su habitación, agrio. Llama al ministro de Comunicaciones, que sube del «comedor».

—Vámonos.

—¿A dónde?

—A donde sea.

—Bueno, pero...

—No presidiré una guerra entre antifranquistas. Vámonos a Orán.

—¿A Orán? Todo está preparado para ir a Toulouse.

—Vamos a donde usted quiera.

Un enorme desaliento pesa sobre los hombros del Presidente del Consejo. Reúne a los ministros presentes.

—Señores, prepárense, ya no hay nada que hacer.

Amanece cuando llegan al campo de Monóvar. El cielo se ha despejado. Nada, nadie en el terreno baldío.

—¿Y los aviones?

—Di orden de que estuvieran aquí a las seis.

—¿Qué hacemos?

—Esperar.

Los del Consejo saben a cienca cierta donde están: Alicante cayó en su poder. Llega un coche. Negrín llama a Álvarez del Vayo, le hace subir a su lado:

—Vamos a explorar el terreno —dice.

Los demás ministros forman un grupo, a veinte metros. Sube el sol tras una ligera bruma.

—¿Qué hora es?

—Cerca de las nueve.

—¿Qué se sabe de los aviones?

—Nada.

—Camacho aseguró...

—Sí. Pero no hay teléfono que nos sirva.

Negrín y Álvarez del Vayo llegan a la posición *Dácar*.

—¿Qué pensáis hacer? —pregunta el Presidente a los generales Líster y Modesto.

—Nosotros nos quedamos.

Exponen sus planes guerrilleros. Allí tienen cerca de cien, decididos a todo. Juan Negrín mira socarronamente a los dos militares, les sigue la corriente:

—Lo que debéis hacer —les dice como si fuera en serio— es volar las centrales eléctricas. La de Cuenca en primer lugar, luego las conducciones de agua. Dejar a Madrid sin luz y sin agua. Al mismo tiempo podéis asesinar a Casado y a Besteiro.

Los mira, serio. Líster le pregunta, desconcertado:

—¿Qué va a hacer?

—Dormir. No quiero que me cojan desvelado. Llevo cuatro días sin pegar los ojos. Que me maten en buenas condiciones.

En la misma habitación en que entrara Vicente, se reúne con Pasionaria, Stepanov y Álvarez del Vayo.

—Ya le dije que no voy a dirigir una lucha entre antifranquistas. ¿Está el general Hidalgo de Cisneros?

—Sí.

—Llámenlo.

—¿Puede comunicarse con Casado?

—Por teléfono no; por teletipo creo que sí.

El Presidente del Consejo se pone a escribir en una esquina de la mesa. Tarda. Vuelve sobre lo escrito. Lee. Piensa. Vuelve a corregir. Pasa el texto a los otros.

—Transmítalo cuando y como pueda.

Se levanta, no puede dar un paso. Se tumba en el suelo, se duerme en seguida. Álvarez del Vayo, tras sacar copia del mensaje, sale a la terraza; mira al campo, la huerta brillante del sol, unos niños que juegan del otro lado de la carretera.

—¡Hay que acabar con ellos!

—Hay que tratar con él.

—No se habla con traidores.

—Si es más fuerte que tú, sí.

—Sería vergonzoso e indigno.

—No digo que no. Pero son palabras que no se deben usar en política.

—Entonces, ¿qué haces aquí?

Togliatti cruza unas palabras con Álvarez del Vayo.

—¿Qué hacer? —pregunta el ministro.

—A veces hay que saber morir.

—Pero no a manos de un traidor.

Recuerda el informe de Diego de Torres acerca de la batalla de Alcazarquivir, la conversación entre el rey don Sebastián y Francisco de Aldana:

—Capitán, ¿por qué no tomáis caballo?

—Señor, ya no es tiempo sino de morir, aunque sea a pie.

En tiempo y tierra de moros.

—¿Y los aviones? —pregunta.

—No sé. Eso, Hidalgo de Cisneros. Cuando acaben de hablar los tendrán en el aeródromo.

—¿No está ya todo dicho?

—A ver qué contesta Casado.

El ministro mira cómo sube el sol. Las sombras. ¿Dónde llegará cuando le fusilen?

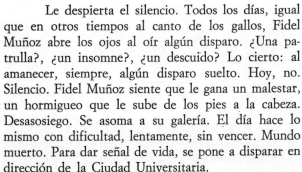

5

Le despierta el silencio. Todos los días, igual que en otros tiempos al canto de los gallos, Fidel Muñoz abre los ojos al oír algún disparo. ¿Una patrulla?, ¿un insomne?, ¿un descuido? Lo cierto: al amanecer, siempre, algún disparo suelto. Hoy, no. Silencio. Fidel Muñoz siente que le gana un malestar, un hormigueo que le sube de los pies a la cabeza. Desasosiego. Se asoma a su galería. El día hace lo mismo con dificultad, lentamente, sin vencer. Mundo muerto. Para dar señal de vida, se pone a disparar en dirección de la Ciudad Universitaria.

No le contestan. Otras veces desencadena una reacción; ahora nada. Todo pesa. ¿Qué sucede? El día, haciéndose a regañadientes, testudíneo, no rompe. Frío húmedo, mal humor. Ganas de llamar con nombres infames a cuanto recuerda; queda en deseo; los denuestos son ejemplos de empuje, de reacción. Hace mucho que, a pesar de los años, no se ha sentido tan viejo. Ahora, sí. ¿Qué hago? ¿De qué sirvo aquí? Tiene hambre, humillado. Le duelen los riñones, como hace treinta meses.

—¿Ya te enteraste?

Entra Moisés Gamboa, flaco, alto, barba sucia. Entre ellos le llaman *Pirandello*. Por aquellos años el renombre del siciliano era grande, Silvio Úbeda supo de la triste vida personal del autor de *El difunto Matías Pascal* que, en este aspecto, sí tenía que ver con la de Moisés Gamboa: librero de viejo, casado, hacía treinta años y no mozo, con una zamorana de buena familia venida a menos y a Madrid, para mejorar.

Pirandello adoraba a su esposa, que le dio cinco hijos, fuentes de otras tantas desgracias. Carmen, su hija mayor, como la única del gran italiano, se suicidó por amor de un periodista de pocos escrúpulos. Una mañana, la muchacha subió a la azotea de la casa y se tiró desnuda a la calle. Murió. Del golpe perdió los sesos su madre. Ahora, con la guerra, los cuatro hijos restantes han estado en el frente; uno murió a las primeras de cambio, en la Sierra; Romualdo quedó cojo, en el Jarama; los otros dos pasaron a Francia, con el ejército de Cataluña. Desde 1924, Soledad estaba internada en Leganés.

Moisés Gamboa, a sus 69 años, sigue al frente de su negocio que —¡quién lo dijera!— prospera. Salen libros por todas partes.

Desde hace años, el librero pinta; con dificultades porque se ha acabado el bermellón en Madrid y no se lo pueden traer de Barcelona o de Francia como lo hacían, los últimos meses, algunos amigos. Ahora recarga a todo de azules, que son los colores de que dispone, aunque no sean los más propicios para las flores que acostumbra representar, y las marinas «no le salen» a pesar de su empeño y la facilidad que supone el tener a mano toda clase de añiles (azul de mar, azul turquí, azul marino). Moisés es hombre de tierra adentro. Tiene, desde que los otros se acercaron a Madrid, a su mujer encerrada en casa; Soledad no le habla, sólo mira fijo lo que pinta. *Pirandello* se ha negado terminantemente a que les evacuaran, por los libros. La ida no se da cuenta de nada, en su habitación donde Moisés ha dibujado flores en cada losange de la marga acolchada. En la mira, ella parece no verle, no lo ve, fija en las telas o cartones que pinta a menos que contemple sus propias manos afiladas. Casi no come, delgadísima. Cuando Romualdo —su hijo cojo— entra a verla no le hace caso. Ya sólo viene de tarde en tarde —vive lejos, en los barrios bajos—, trabaja en la Casa del Pueblo, en el Comité de las Trabajadoras del Hogar, donde la Concha, su legítima, le colocó al salir del hospital.

—¿Ya te has enterado?

—Sí.

—¿Qué te parece?

—El acabóse.

—Hace tiempo que lo venía venir. Romualdo está en el ajo.

—Estarás orgulloso.

—No.

Callan. ¡Haber vivido para llegar a esto!

—Si no fuese por la pobre Soledad...

—¿Qué?

—No lo sé.

Su amistad con Fidel Muñoz es relativamente reciente, data del momento en que fueron vecinos, hace diez años, lapso que no es gran cosa entre gentes que han pasado de los sesenta.

—Todo estuvo mal desde el principio.

—No veo por qué.

—Con la guerra, naturalmente, la clase obrera vino a defensora de la República. Entiéndeme, auténtica defensora, las manos de la masa en la masa. Y resulta que, oficialmente, la presidió un burgués de lo más burgués, con todas las cualidades y defectos del ídem. ¿Qué tenía que ver Azaña con el partido socialista, los comunistas o los anarquistas? Nada. Podía entenderse con socialistas del tipo de Fernando de los Ríos o con Prieto, tan socialista como lo fue mi abuela.

—¿Lo dices por Besteiro?

—Claro que sí.

—No hables de lo que no sabes. Hace muchos años que no veo a Julián —dice *Pirandello*.

—¿Entonces?

—Ni sé cómo piensa, pero —supongo— no ha de variar mucho de lo que pienso yo.

—¿Así que tú apruebas...?

—Ya te dije que no. Tengo, exactamente, la edad de Julián. Juntos ingresamos en el partido radical, juntos pasamos al socialista más por admiración por Pablo Iglesias que por otra cosa. Yo nunca fui nada en el partido, como sabes.

—¿Qué tiene que ver esto con lo que ha hecho?

—Mira, hijo, hace mucho que perdí todas las ilusiones de la edad madura, es decir las de los veinte años. Ya no creo ni en la libertad ni en la fraternidad ni en la igualdad. He visto demasiadas cosas que me hacen desesperar de la naturaleza humana. Todo lo que nos mueve son intereses pequeños. El hombre es maléfico, hipócrita, incapaz.

—Gracias por la parte que me toca.

—A todos alcanza.

—Faltas descaradamente a la verdad. Por ejemplo: tú.

—Por no enmendar. Por mantener el haber creído tener razón, por no admitir el haberme equivocado.

—*San Manuel Bueno, mártir*.

—Tompoco Unamuno era manco.

—Pero ése, por lo menos, así echara sapos, decía lo que pensaba.

—Era escritor, pero ya ves sus personajes...

—¿Y cómo crees que habría que ordenar el mundo?

—Lo mismo da.

—¿Anarquista a tus años?

—No, hijo, no. Palo y tente tieso. No hay ni hubo nunca otra manera de hacer algo.

—Por eso te ha ido tan bien en la vida...

—Por eso, Fidel, por eso. Por querer respetar a los demás.

—¿Lo sientes?

—No. Pero me parece absurdo alzarte como lo haces contra Besteiro. Posiblemente él está de vuelta como yo y por no dejarse, por no retroceder, por mantenerse en lo dicho llevó a cabo el disparate que hizo.

—Reconoces que es un absurdo.

—Uno más.

—¿Qué importa al mundo, no?

—No te fuerzo a decirlo.

—Ni lo creo.

—No quiero discutir.

—¿Qué quieres?

—Morirme después de dejar en paz a la pobre Soledad.

—En eso de morirse, es de lo único que estamos seguros.

—A lo mejor, ni de eso.

—¿Te crees inmortal?

—Hasta tal punto que, cuando acabe, ni cuenta me daré.

—¿A eso llamas inmortalidad?

—¿A qué si no?

Callan.

—¿Y qué van a hacer ahora?

—Poco habremos de vivir para verlo.

- -Es lo que no quisiera.

6

Julián Templado, frente a Juan González Moreno, arremete sin contemplaciones —enristrando denuestos— contra los anarcosindicalistas. —FAI: Fulleros Auténticos Ijos de puta, sin hache para mayor inri. CNT: Cobardes Nacionalistas Traidores.

—Ya cállate. Asistí, en representación de Rodríguez Vega, a la segunda reunión —aquí— del Frente Popular, hace de eso no sé cuánto tiempo. Ya entonces los anarquistas propusieron la constitución de una «Junta de Defensa o algo así».

—Eso querían desde el principio de la guerra, para acabarla.

—No es cierto. Te ciega el sectarismo.

—¿Sectario, yo?

—Sabes que no soy anticomunista. Para los anarquistas juega el recuerdo de noviembre del 36, del «No pasarán». Del milagro.

—De los milagros líbrenos Dios. Sabes, tan bien como yo, que el que paró a los rebeldes, el 7 de noviembre, fue el pueblo. Los Internacionales empezaron a dar lo suyo el 8, el 9, el 10.

—Evidentemente, sin los madrileños nada hubiera servido de nada. Coincidieron. Pero, ahora, por lo menos para los anarquistas, revive el mito y creen que es posible repetir el milagro, sin darse cuenta de que aunque se galvanizara otra vez el pueblo —contando los muertos, que son legión— les faltan precisamente los comunistas. Aun sabiéndolo, quieren hacer ellos —solos— lo que hicimos juntos. No los puedo condenar.

—¿Y Casado? ¿y Besteiro? ¿Crees que ellos también van por el milagrito? No me hagas reír.

—Las suposiciones no son mi fuerte. Lo único que sé es que Negrín estaba haciendo gestiones en Francia y en Inglaterra para acabar la guerra.

—Pero se trata con un enemigo, no con quien ha traicionado.

—De eso y de lo que sea se puede hablar de aquí a mañana. No se trata de hablar sino de hacer.

—¿Qué?

—Salvar a quien se pueda.

—Sin el «sálvese quien pueda».

—Si quieres.

González Moreno y Templado se conocen de Barcelona. El médico cuidó a uno de los hijos del dirigente de la U.G.T., herido en el frente de Teruel.

—«Si son unos insensatos —me dijo el otro día Negrín cuando le avisé de lo que se tramaba— todo se hundirá». Me resisto a creer que Besteiro sea un insensato.

—Insensato, no; traidor, sí.

—¿De qué te sirve emplear vocablos sin vuelta de hoja? Tampoco es verdad. A menos que lo sea seguir en la misma línea. Besteiro estuvo siempre donde está. No ha variado de opinión.

—Pero callaba.

—Porque se sabía en minoría.

—¿Ahora no?

—Sería cosa de discutir y no acabar. La cosa, que se han sublevado. ¿Qué hacemos?

Templado se lleva la mano a la frente, se rasca la morra. González Moreno ignora su actual condición de comunista.

—¿En qué hospital trabajas?

—En ninguno.

—¿Entonces?

—¿Para qué te cuento? Es largo: he descubierto que no me interesa la medicina. (No le va a decir que trabaja en la redacción de *Mundo Obrero,* traduciendo cables y las noticias que captan de la radio alemana.) ¿Tus hijos?

—Manuel, el que curaste, nunca se repuso del todo. Segundo, que estaba en Cartagena, debe haber llegado a Orán o a Bizerta, con la flota.

—Nos han hecho polvo.

Julián Templado ha subido a ver a González Moreno en busca de noticias.

—Hay que dar con una solución.

—Los del Consejo no querrán saber nada. A estas horas no se van a volver atrás.

—Pues les va a escocer. La mayoría de las fuerzas está con nosotros.

—Nosotros, ¿quién?

—Los partidarios del Gobierno.

—¿Qué gobierno?

—El único que hay: el de Negrín.

Callan.

—¿Qué piensas hacer?

—No lo sé.

—El único que podría remediarlo es Franco.

—¿Cómo?

—Atacando.

—No será tan idiota. Para imbéciles sobramos nosotros.

—Este traidor de Casado, más traidor que...

—¿Hay quien traiciona más o menos? No es cuestión de matices ni de grados, ni de ropajes. ¿Miaja, por ser adicto al gobierno hasta ayer, más o menos traidor que Casado que preparó el golpe? ¿Traidor Negrín por no haber muerto aquí como suponía y supusimos al verle llegar?

—Bonita frase. A ver qué haces con ella. Para un político no hay más pasado que el presente. Se debe a lo que tiene que resolver en el momento. Si lo lleva a cabo según su convicción no hay traición posible. Si, por lo que sea, resuelve lo contrario, traiciona. Para quien tiene el poder en la mano, o para quien quiere conseguirlo, el pasado no cuenta y, si mucho me apuras, ni siquiera el futuro, que nace cada día según la obra del anterior.

—Pero, la honradez...

—La honradez está precisamente en hacer lo que se cree que se debe hacer teniendo en cuenta las circunstancias en el preciso momento de hacerlo. Lo demás es literatura.

7

—Le he mandado llamar para que acepte estar al lado de Wenceslao Carrillo, en la Conserjería de Gobernación.

—¿Yo?

—Conviene que estén representados todos los partidos. Usted es republicano y no se puede negar.

—¿En calidad de qué?

Casado no entiende.

—Ya se lo dije, como republicano...

Pascual Segrelles se decide, a medias:

—Quiero decir, ¿cuáles serán mis funciones?

—Las actuales del subsecretario.

—Tengo entendido que no habrá ministros sino consejeros.

—Los compañeros anarquistas están en contra de la denominación. Pero el cargo sigue con las mismas atribuciones.

—Pero ¿el título?

—No creo que tengan nada en contra de que sigan llamándose subsecretarías —cierta ironía en la mala leche.

Pascual Segrelles cree soñar. ¿Qué dirá Amparo? ¿Qué dirá Gloria? Amparo, tras dos años de matrimonio, se descubrió insoportable por los celos y, entre otras cosas, por su título académico, sacado a relucir más de lo conveniente frente al lego ascendido. Nunca fue dechado de hermosura: chata, lo romo se manifestó de pronto en desconfianza hacia los gastos extraconyugales del ex pintor de abanicos. Auténticamente, no le dejó ni a sol ni a sombra: tuvo dueño a todas horas, sujeto a toda clase de investigaciones. Ojo y oído alerta, Amparo no sosegó, aumentando el cuidado con la creciente importancia social del matrimonio. Nada puso treguas a su vigilancia. Le acompañaba al laboratorio, en el tranvía, armando escándalo si se figuraba que el oíslo miraba a alguna fémina con cierto interés, peor si creía que una se había fijado en él.

—Usted, ¿qué se ha creído?, ¿Qué le ha visto?, ¿qué se ha figurado? ¿Por qué no mira al cabrón de su marido? Si tiene ganas de juerga le puedo dar direcciones...

Pascual Segrelles intentaba aplicarla. Bajaban del convoy a la primera parada, a tomar otro. No valían razonamientos.

—Pero ¿es que no te fijaste en esa tía zorra? ¡Haberme dejado y hubieras visto!

A menos que fuera lo contrario:

—¡Niega que te gustó! ¡Niégamelo, poco hombre! ¡Niégame lo que vi! ¡Si te la comías con los ojos que daba asco verte!

Con el tardío nacimiento de Pascualín, el concejal republicano concibió esperanzas de apaciguamiento. No hubo tal. Conjugáronse ambición y encelamiento —en todos sus sentidos.

—Anda, vas servido, ya puedes irte, a la que sea no le dejo ni una gota.

Hasta que —ya concejal el hombre— fijó sus sospechas en Gloria Montesinos, mecanógrafa del Ayuntamiento.

—¡Por algo llaman así al lugar de vuestras liviandades!

Gloria no tenía nada de apetecible como no fuera la escualidez. Treinta años de comer poco.

—¿Y sus padres?

—Soy huérfana.

—Enhorabuena.

—Por no tener, ni padre ni madre. No sé qué le ves.

—Nada.

—Claro, ¿dónde?, pero tú a mí no me engañas.

—Claro que no. Además, ¿a qué horas? ¿Cómo?

—El cómo no te lo voy a contar. ¿A qué horas? Es lo que quisiera saber.

—Te juro...

—Tú no juras nada, desgraciado. ¿Ya sabes lo que le dijeron unos graciosos sentados en un banco de la plaza Emilio Castelar, al verla salir de la oficina? ¿No te interesa, verdad? Pues óyelo: —La seis en punto. ¿No te hace gracia? Lo que yo quisiera saber es qué le ves a esa tabla de planchar.

Pascual no le veía nada; pero, por la insistencia de la cónyuge, se fijó en la solterona. Al azar de los pasillos y del trabajo fue trabándose una verdadera amistad. Gloria, por sus pocas carnes, desde su pubertad, se había hecho a regañadientes a la idea de que jamás sabría de las proclamadas dulzuras de la coyunda. Se apartó de sus amistades femeninas al no tener qué contar y sí oír multitud de detalles de todos los calibres relacionados con el sexo contrario. Dedicó su tiempo a dos sobrinos que la adoraban. Con el tiempo, fue a vivir a casa de su hermana, donde hacía más de niñera que de otra cosa. Su cuñado, gordísimo —el corazón en el vientre—, sólo pensaba en comer y dormir.

—¿Cómo quieres engordar si no comes?

—Si no tengo ganas.

—Las ganas entran con el empapuzo —decía Antonio, regoldando.

Puntual, cumplida. Pascual y Gloria se tuvieron lástima. Como Amparo no podía estarse de estantigua en el despacho del hombre público, le esperaba a la salida, con el niño.

Empujado por los celos, la matraca continua, sucedió lo inevitable a la muerte de la madre de la cónyuge, que la obligó a irse tres días a Barcelona. El basilisco lo olió inmediatamente. Las escenas desagradables adquirieron mayor amplitud. Amparo proclamó su desdicha a todos los vientos, a cuantos querían y no querían escucharla. Segrelles arregló el traslado de Gloria y su familia a Madrid.

—¿Cómo voy a dejar los niños de Carmen?

Luego fueron un estorbo, al nacer los de la unión ilegal, perseguida por la inquina salvaje de la legítima.

—¿Ven ésta? Es una tirada, una puta de lo peor, la querida de mi marido.

Pascual Segrelles no podía hablar con nadie sin que, a la vuelta de la esquina, se acercara la esposa a quien fuera poniéndole de vuelta y media:

—¿Usted cree que es una buena persona? ¡Ca! Es un cualquiera que le quita el pan de la boca a su hijo para dárselo a una pindonga con la que está liado.

Con la guerra las cosas variaron algo. A las primeras de cambio, Amparo denunció a Gloria, como fascista. La salió mal: respondió Pascual por ella. Desde entonces el hombre pasó el tiempo entre Valencia y Madrid. Nunca fue tan feliz; y más pensando que, al acabar las hostilidades, volvería a pintar. («Se quedarán asombrados».) Para colmo, ahora: subsecretario, su inexpresada ambición. A menos que le diera a Amparo por plantarse en la capital... —razonaba para su caletre, todavía frente a Casado—. Pero, no: le tiene demasiado miedo a la proximidad del frente, y eso sin contar con el chico. El chico que le retiene, a él, de cuando en cuando, en Valencia.

—Aquí tiene una lista de los que hay que detener como medida preventiva. Le proporcionarán los hombres escogidos para realizar estos servicios.

8

A las diez de la mañana, González Moreno entra en el estrecho despacho de Besteiro, contiguo al
del coronel Casado. El viejo jefe socialista intenta levantarse, le detiene el visitante con un gesto brusco
y una pregunta a boca de jarro:

—¿Se da cuenta de lo que está haciendo?

(Nunca se han tuteado, a pesar de veinte años
de pertenecer al mismo partido. Entre los socialistas
era corriente: Arasquistáin y Álvarez del Vayo, con ser
compañeros, amigos viejos, concuñados, siempre se hablaron de usted. Cierto respeto que muchos perdieron con la guerra y la influencia de los comunistas.)
Cada día se parece más a sus caricaturas —piensa
González Moreno. Recuerda, ve, una de Tovar, ¿o de
Fresno?, acentuada su cara de caballo, salidísimas las
palas de los dientes. Serio, muy como nos figuramos
los figurines ingleses. Las largas manos finas que en-
trecruza continuamente. Viejo.

—Ellos lo han querido.

El tiroteo se percibe oscuro. (¿Quién contra
quién?)

—No os lo perdonarán nunca.

—¿Quiénes?

—Los que sobrevivan.

—Al contrario, si los hay —sobrevivientes—, a nosotros deberán el serlo.

—¿Está seguro?

—Completamente.

—Si pudiera volverse atrás...

—Volvería a hacer cuanto hice.

El ruido seco de una ametralladora. Un zambombazo.

—Están dejando que nos entrematemos para matarnos mejor.

—La culpa es nuestra.

—Precisamente sí: la culpa es vuestra.

—¿Prefiere el paredón?

—¿A morir de una ráfaga republicana? Sí.

—Está en su derecho.

—Pero, ¿qué va a suceder después?

—¿Después? ¿Cuándo?

—Vamos a dejar sentado, y es mucho, que el Consejo de la Defensa se salga con la suya. Que Burgos acepte hacer la paz, que no lo creo: porque si le ofrecéis, en bandeja, la victoria total, ¿para qué van a negociar?

—El gobierno de Franco jamás hubiese tratado con Negrín. Conmigo, con Casado, sí.

—No sabéis decir otra cosa; pero acabo de asegurarle por qué no lo creo. Pero aunque fuera como decís: habéis roto, partido de raíz en dos, las fuerzas liberales españolas.

—¿Liberales?

—No es cuestión de palabras, Besteiro. Ni yo me inclino por ninguno de los dos bandos. He visto demasiadas cosas. Y comprenderá que no se trata de mi vida. El hecho: que una vez perdida la guerra quedaba una esperanza. A menos que crea que el régimen de Franco se va a entronizar para la eternidad: el siglo de paz que Chamberlain trajo de Munich...

El tono amargo de González Moreno calla a Besteiro.

—Azaña ha dimitido; Negrín, no lo sé. De lo que estoy cierto —no sólo convencido— es de que los comunistas seguirán en la brecha, contra usted y lo que representa.

—Acatarán al Consejo.

—Es posible. Pero el día de mañana, y no juego a hacer augurios, usted y Casado y los que han llevado a cabo la monstruosidad que hemos presenciado...

—Están de acuerdo: el Partido Socialista...

—¿Cuál?

Besteiro hace un gesto de irritación. Sigue:

—Los republicanos, los anarquistas.

—Dejemos a los anarquistas aparte. Ellos van a lo suyo. Con tal de estar en contra y de poder mandar aunque sea un día, felices como suicidas que son. No. No es eso, profesor...

Besteiro se inmuta; no por la verdad, por el alias.

—No es eso.

González Moreno siente, de pronto, un gran desaliento. ¿A qué ha venido? ¿De qué sirve lo que está haciendo? Calla. Besteiro se levanta.

—Madrid no se merecía esto.

—¿Es todo lo que venía a decirme?

—Y ponerme a su disposición, si cree que puedo servir de algo.

Besteiro calla, pasando la mano izquierda por su barbilla mal afeitada. Nota los cañones. González Moreno se sienta: se ha decidido de pronto a decir eso, sin pensarlo. Ahora está vacío. Oye a su interlocutor como si estuviera lejos. Lo ve pequeño, colgado de un hilo, como un títere.

—Váyase a París y procure organizar desde allí la evacuación.

González Moreno mira a Besteiro repitiéndose la pregunta que se le escapó; se la mete en la cabeza. Tarda en contestar, incrédulo:

—¿No tienen nada preparado?

—No.

Una pausa.

—O casi nada.

—No soy el más indicado.

—Sí.

—Busque otro. No regresé para volverme a ir. Ni para presenciar lo que vi.

—Si no quiere ir, ¿qué quiere hacer?

—Usted manda.

Besteiro resiente la ironía.

—¿Conoce el manifiesto del Consejo?

—Lo vi por encima.

—Léalo.

Le tiende unas páginas.

—¿Es suyo?

—No. Lo tenía preparado Casado.

—¿Hace tiempo?

—Dos o tres semanas, supongo.

—¿Quién lo escribió?

—García Pradas, creo.

—El verdadero Frente Popular.

El tono acerbo de González Moreno hiere a Julián Besteiro. García Pradas, un anarquista de menor cuño, director de CNT. Avieso, incapaz de reparar en nada con tal de salirse con la suya, impulsivo, sin base alguna, exaltado de por sí, panfletero, audaz. Ahora recuerda que lo vio salir del despacho de Casado cuando, el 5, ayer —¿ayer?, sí ayer— bajaba del

despacho de Segrelles. Otro: ¡Subsecretario de Gobernación! ¿Qué se han creído? Sueñan. Pero, con escolta... Lee:

«Obreros españoles, pueblo de España antifascista:

»El momento ha llegado en el que tenemos
que proclamar a los cuatro vientos la verdadera situación en que nos encontramos. Como revolucionarios,
como proletarios, como españoles y como antifascistas,
no podemos continuar pasivos aceptando más tiempo
la imprudencia, la falta de visión y de organización y
el absurdo letargo mostrado por el Gobierno del doctor Negrín. Estos tiempos críticos por los que estamos atravesando, y el clímax que se acerca, nos obli-
gan a poner fin al silencio y a la incertidumbre que
ha aumentado nuestra desconfianza en ese puñado de
hombres que siguen reclamando el título de gobierno,
pero en quienes nadie cree y nadie confía.

»Han pasado algunas semanas desde que la
guerra en Cataluña terminó en deserción general. Todas las promesas que fueron hechas al pueblo en los
momentos más solemnes fueron olvidadas, todas las
obligaciones ignoradas, todos los hechos pisoteados.
Mientras que el pueblo sacrificaba varios miles de
sus mejores hijos en la sangrienta arena de la batalla,
los hombres que se habían puesto al frente, pidiendo
resistencia, abandonaron sus puestos y buscaron medios para salvar sus vidas, aun a costa de su dignidad,
con la huida más vergonzosa.

»Esto no puede suceder otra vez en el resto de la
España antifascista. No podemos tolerar que mientras
que del pueblo se espera que resista hasta la muerte,
sus líderes se estén preparando para una huida lucra-
tiva y cómoda. No podemos permitir que mientras el
pueblo lucha, pelea y muere, unas pocas personas

privilegiadas puedan continuar su vida en el extranjero.

»Para prevenir esto, para hacer desaparecer el recuerdo de esa vergüenza, para evitar la deserción en los momentos más graves, el Consejo Nacional para la Defensa ha sido formado, y hoy, tomando la completa responsabilidad de la importancia de nuestra misión, con absoluta certeza de nuestra lealtad pasada, presente y futura, en el nombre del Consejo Nacional para la Defensa que ha tomado la autoridad de donde el gobierno del Dr. Negrín la tiró, llamamos a todos los obreros, a todos los antifascistas y a todos los españoles. Afrontando los deberes que incumben a todo el mundo garantizamos que nadie, absolutamente nadie, podrá rehusar estos deberes o evadirlos traicionando las responsabilidades de su palabra y sus promesas.

»Constitucionalmente, la autoridad del gobierno del Dr. Negrín no tiene bases legales; en la práctica carece también de toda clase de confianza o de buen sentido, y del espíritu de sacrificio que debería exigirse de aquellos que quieren regir los destinos de un pueblo tan heroico y abnegado como lo es el pueblo español.

»En estas circunstancias, el Dr. Negrín y sus ministros no tienen la autoridad para quedarse en el poder. Afirmamos nuestra propia autoridad como honestos y sinceros defensores del pueblo español, como hombres que están determinados a dar sus propias vidas en garantía y a hacer su destino el de todo el resto para que nadie pueda escapar a los deberes sagrados que incumben a todos por igual.

»No venimos con palabras bellas. No hemos venido a jugar a ser héroes. Hemos venido a mostrar el camino que pueda evitar desastres y seguir ese camino con el resto del pueblo español, cualesquiera que sean las consecuencias.

»Os aseguramos que no desertamos y que no toleraremos deserciones. Os aseguramos que ni uno solo de los hombres que deberán quedarse en España, la abandonará hasta que todos deseen abandonarla de su propio acuerdo.

»Nos oponemos a la política de resistencia, para salvar nuestra causa y que no termine en burlas o venganza. Para esto, pedimos el apoyo de todos los españoles y por esto aseguramos que nadie, absolutamente nadie, escapará a la tarea de cumplir con sus deberes. "Ya sea que todos nos salvemos, o que todos muramos", dijo el Dr. Negrín, y el Consejo Nacional para la Defensa se ha impuesto este lema como su principio y su fin, como su única tarea: convertir estas palabras en realidad. Para eso, pedimos vuestra ayuda. Para eso pedimos vuestra asistencia y nos mostraremos inexorables hacia los que traten de evadir sus deberes.»

—Dejando aparte que está escrito con los pies, ¿a quién engañan? La demagogia no le sienta, Besteiro.

—Si deja de morir un solo español por nuestra iniciativa, nos daremos por bien pagados.

—¿Y los que mueren por vuestra culpa?

Julián Besteiro hace un gesto vago; luego pregunta:

—La guerra a ultranza que preconizábais, ¿era con flores?

—¿No os dais cuenta que entregándonos a ojos cerrados sacrificaremos más vidas que resistiendo?... Y si usted no se va...

—No me iré.

—En su carne lo padecerá y en la de los suyos. Con una sola tranquilidad.

—¿Cuál?

—Que lo quiso y lo hizo. En los frentes o en la retaguardia la guerra, la muerte, obra a ciegas.

—No será tanto.

Tiene ganas de contestarle, dejándose llevar por la lengua: «Usted lo verá». Le duele el oportunismo tibio del jefe socialista. No, no lo verá. Ni él tampoco. Pasan al despacho de Casado al oír voces altas.

Don Mariano López, magistrado del Tribunal Supremo, rojo de indignación, espeta al militar:

—Me das a escoger entre dos totalitarismos o hasta tres si quieres: el tuyo, el de Burgos y el de los comunistas. A los tres digo que no.

—¿Qué quieres?

—Lo que ahora te va a sonar lo más imbécil: la legitimidad, y que, sin embargo, es lo único que puede salvar nuestro mundo carcomido.

—¡Qué paños calientes!

—Más: dar la cara a la historia. Vosotros le volvéis las espaldas y no vais a ninguna parte.

—Discute eso con Besteiro.

—A eso vengo.

9

A las 11, el general Miaja entra en el despacho del coronel Casado que va hacia él:

—Crea usted, mi general, que yo pensaba que me sublevaba contra usted.

—Quiá, hombre —contesta el asturiano—. Si yo estaba ya muy harto. Si pensaba hacer lo mismo.

En una esquina, Rodríguez Vega, Secretario de la U.G.T., y Edmundo Domínguez, Comisario del Ejército del Centro.

Una llamada interrumpe la conversación. Casado, con un gesto seco recomienda silencio. Es el teletipo.

—Es de Negrín.

Casado lee:

«El Gobierno de mi presidencia se ha visto dolorosamente sorprendido por un movimiento que no parece justificado ni por las discrepancias en los propósitos que anuncia ese Consejo en su manifiesto al País, a saber: una paz rápida y honrosa sin persecuciones ni represalias que garantice la independencia patria, ni por la manera en que las negociaciones habían de iniciarse. Si impaciencias que en los no conocedores de la situación real de nuestras gestiones pueden justificar interpretaciones equivocadas de actos de gobierno, que sólo ha buscado que se conserve el espíritu de unidad que informa su política, hubieran permitido aguardar a la exposición que sobre el momento actual iba a hacerse la noche de hoy en nombre del Gobierno, a buen seguro que este infortunado episodio habría quedado inédito. Si una inteligencia entre el Gobierno y los sectores que aparecen discrepantes se hubieran establecido a tiempo, a no dudarlo hubieran aparecido borradas toda clase de diferencias. No se puede corregir el hecho pero sí es posible evitar que acarree males graves a los que fraternalmente han combatido por un denominador común de ideales y sobre todo a España. Si la semilla del daño se depura a tiempo, puede dar frutos debidos. En aras de los intereses sagrados de España debemos todos deponer las armas y si queremos estrechar las manos de nuestros adversarios, estamos obligados a evitar toda sangrienta contienda entre quienes hemos sido hermanos de armas. En su virtud, el Gobierno se dirige a la Junta constituida en Madrid y la propone designe una o más personas que puedan amistosa y patrióticamente zanjar las diferencias. Le interesa al Gobierno, porque le interesa a España, que en cualquier caso toda eventual transferencia de poderes se haga de una manera normal y constitucional. Solamente de esta manera se podrá mantener enaltecida y prestigiada la causa por que hemos luchado. Y sólo así podremos en el orden internacional conservar las ventajas que nuestras escasas relaciones aún nos preservan. Seguros de que al invocar el sentimiento de españoles esa Junta prestará oído y atención a nuestra demanda, le saluda, *Negrín.*»

Antes de que nadie pueda decir una palabra habla Rodríguez Vega:

—Yo me ofrezco... Nombrad una comisión que se entienda con el Gobierno... yo...

—Me parece bien —dice Casado volviéndose hacia Besteiro: —¿Oye usted lo que dice Rodríguez Vega? Creo que sería conveniente y evitaría muchas cosas.

Repite, mirando a los demás:

—A mí me parece bien.

—¿Para qué vamos a hablar con ellos? —pregunta impasible Besteiro. Sin dejarle acabar, Miaja grita:

—¡Nada! ¡Nada! No hay que hacerles caso. Es una añagaza para ganar tiempo.

Carrillo, Val, Mera le apoyan.

—Nada, hombre, nada.

—¿No os dais cuenta de lo que va a suceder?

—No va a pasar nada, y si pasa yo lo arreglo en un dos por tres —asegura Wenceslao Carrillo, apoyado por casi todos.

Casado no insiste. Edmundo Domínguez y Rodríguez Vega salen del Ministerio de Hacienda.

—Vamos a hablar con Henche.

En el despacho del Alcalde de Madrid encuentran a Trifón Gómez, Intendente General. Los cuatro socialistas dudan qué partido tomar. Están en contra de la constitución del Consejo, en contra de la participación de la U.G.T. en el mismo. Pero ¿qué hacer? Wenceslao Carrillo ha tomado el nombre de la organización y muchos dan por hecho que la Unión General de Trabajadores apoya a la Junta.

Suena el teléfono. Henche oye, se le estiran los músculos de la cara sumiéndole las mejillas.

—Los comunistas se han hecho fuertes en los Nuevos Ministerios.

—¿Por qué? Si al fin y al cabo el Gobierno está de acuerdo en traspasar los poderes...

—No lo saben, además Carrillo ha empezado a detener gente.

—¿Qué hacemos?

El que menos lo sabe es Edmundo Domínguez, que, la noche anterior, dio su aquiescencia a Besteiro y, ahora, al hablar con Rodríguez Vega, con Henche, con Trifón Gómez no se atreve a decirles la verdad.

Ninguno dice lo que tiene en el corazón. ¿Cómo en un punto han dado tan gran vuelta? Roídos, todo se les vuelve cisco y ceniza.

—Ya nadie sabe dónde está.

—¿Quién?

—Tú, yo, cualquiera.

—Todo lo que toca lo convierte en mierda.

Edmundo Domínguez, desconcertado, no se atreve a preguntar a quién se refiere Rodríguez Vega.

10

Dos Douglas aterrizan en el campo de Monóvar. El sol pega duro. Pasan las horas. Los ministros pasean su terrible impaciencia arriba y abajo. Se cobijan bajo las alas de los aparatos.

—¿Qué estará haciendo Negrín?

Aparece, pegado al horizonte, otro Douglas. Da una vuelta sobre el campo. Vira. Desaparece.

—Estamos fritos.

—No lo dirás sólo por el calor...

Media hora después los sobrevuela un Dragón.

—¿Qué hacemos?

—No podemos despegar sin el presidente.

—Nos van a cazar como conejos.

No han comido hace día y medio. Les gana el nerviosismo. Hablan por hablar. Callan. Dan vueltas.

Negrín aparece a las dos de la tarde.

—Vámonos.

Uno tras otro, despegan los dos aviones. Desde la carretera, los ve Vicente Dalmases, que regresa a Madrid.

De Monóvar a Elda, siete kilómetros. Elda: el recuerdo vivo de Emilio Castelar: grandes letreros, en casas principales: *La Prosperidad, La Fraternidad, El Progreso,* cooperativas. El Vinalopó. Petrel, su promontorio, el castillo; olivares, tierra sedienta. El mejor ajo-aceite de España es el de Petrel, lo llaman *giraboix*. Pinadas, viñedos, almendros, álamos en las ramblas, olivares. La sierra de Peñarrubia, los picos de la Cabrera, las Carboneras. El castillo roquero de Sax. La rica llanura de Villena. Chopos que ya dicen Castilla. Frontera que señala tajante la peña del Cid: Levante, Castilla. Si el *Espiritista* supiera que la suerte de Vicente Dalmases se juega, precisamente ahora, al pie del monte que lleva por nombre el del héroe de Vivar, ¿qué diría? Porque precisamente, al llegar a Villena, de pronto, Vicente piensa que torciendo a la derecha podrían estar, entre horas, por Onteniente y Játiva, en Valencia. Duda. No duda: Madrid, primero. Asunción, su vida.

11

—¿Vicente vino ayer?

—Sí.

—¿Por qué no me lo dijiste?

—No convenía.

—No convenía ¿qué?

—Que le vieras.

—¿Por qué?

—Eras capaz de haberle detenido y de torcer el curso de la Historia.

Por vez primera se refiere aunque sea indirectamente a las relaciones de Lola y Vicente.

—¿No sabes lo que ha sucedido?

—Claro que lo sé y aún lo sabía de antemano. Por eso hice lo que hice y haré lo que haré... Pero, como tú no crees en la Verdad...

—Déjate de tonterías.

—No me hables en ese tono.

—No es cuestión de matices. Vicente corre peligro.

—Ya no.

—¿Cómo lo sabes?

—Se fue, porque se lo ordené —dice orgullo-
samente el viejo.

—¿Que se fue? ¿A dónde?

—No lo sé.

—Mientes.

—¡No le hables así a tu padre! Se fue.

—¿A dónde?

—Al mar.

—¿A Valencia? —la violencia del tono
amaina.

—No lo sé.

—¿Y te hizo caso?

—A mí no. A órdenes más altas.

—¿A qué vino?

—A verte.

—¿No dejó ningún recado?

—Que le llamaras por teléfono.

—¿A dónde?

—Al Pardo. Pero le hablé yo.

—¿Tú? ¿Por teléfono? No lo creo.

—Nunca me has creído.

—¿Qué le dijiste?

—Le volví a urgir para que lo dejara todo.

—¿Y lo hizo?

—Supongo que sí.

Lola sale corriendo. Sin vehículo, tarda seis
horas en llegar al Pardo. No la dejan entrar, guarne-
cidas con ametralladoras y tanques, verjas y puertas.
Consigue, tras mucho porfiar, con el nombre de Dalmases, que salga a hablar con ella el teniente Rocha,
compañero de Vicente.

—¿Vicente? Salió anoche hacia Levante, con
una comisión.

—¿Oficial?

—Claro.

—¿Regresará?

—Es de suponer.

—¿Cuándo?

—No lo sé.

—¿Hoy?

—Seguramente.

—Dígale que vine.

—Sin falta.

Lola se enfrenta con su padre, plantándole una botella de vino sobre la mesa del comedor.

—Toma y emborráchate de una vez, cara a cara. Pon *Coppelia* en el gramófono y trasiega hasta quedarte harto. El que estés loco no te da derecho a meterte en mis asuntos. Y para que lo sepas de una vez: Vicente se fue anoche no porque se lo dijeras sino porque se lo ordenaron.

El viejo sonríe, en el secreto, suficiente.

—¿No lo crees? Vengo del Pardo.

—No volverá.

—Eso dices, porque estás mochales.

—Insulta a tu padre, si te parece bien, pero no dudes de lo que te digo. Te posee un espíritu impuro, de última clase. No sabes lo que dices, desgraciada. Y si por tu influjo mefítico lo hiciera, sería terrible. Don Germán me predijo esta noche: si regresa lo matarán. Con eso él no perdería nada, pero nosotros todo.

El viejo alza los brazos al cielo, antes de abatirlos melodramáticamente.

—Don Germán o la mierda andando.

El *Espiritista,* fuera de sí, alza la mano. Su hija se escurre para plantarle cara.

—¡Atrévete!

Don Manuel se derrumba frente a la mesa, baja la cabeza. La calva reluce.

—Bebe y duerme la mona.

Vicente es suyo, lo aprieta contra su pecho.
Abraza, besa, la almohada.

—Mío, mío, mío.

12

«Le paso, al costo, la versión taquigráfica de una conversación sostenida hace un momento entre dos socialistas de pro en el sótano de Hacienda, en una antecámara del despacho de Besteiro. No sé quienes discutían. Desde luego uno de ellos caballerista *enragé*. Si Araquistáin estuviese aquí diría que era él, pero está tranquilamente en París. ¿Wescenlao Carrillo y Rodríguez Vega? ¿Besteiro y Antonio Pérez? Tal vez Henche, Trifón Gómez, Edmundo Domínguez o Augusto Fernández. La tomó un agente nuestro, sin poder asomarse; a lo mejor le interesa; nada se dice en ella que no le haya participado en días pasados, aunque a la luz de lo sucedido durante los primeros tiroteos llegue a cobrar otro sentido:

—Lo primero que tenemos que hacer es extender al cadáver del Gobierno Negrín la obligatoria y natural fe de defunción, declarándolo depuesto a partir del momento en que la justa indignación del pueblo y del ejército le forzaron a abandonar el país en avión, a pleno gas, perseguido esta vez, no por los partidarios de Franco, sino por la cólera, llevada a su extremidad de los republicanos, socialistas y sindicalistas fatigados en fin, aunque demasiado tarde, del gobierno más inepto, más despótico y más cínico que haya tenido España, incluso en las épocas ignominiosas de las dinastías austriaca y borbónica. Desde ese punto de vista, el infeliz pueblo español no había caído nunca tan bajo, ni sus gobiernos de fortuna habían ido tan lejos.

—Te dejas llevar por rencillas personales. No digo que hicieran todo lo que debieran, pero de ahí a lo que aseguras va un mundo.

—Las nominaciones injustificables de la última hora haciendo pasar todas las palancas del mando del ejército a manos del partido comunista, provocaron la justa sublevación del pueblo y del ejército de Madrid y de todo el resto de España republicana.

—Tal como lo puedes oír.

—No lo digas con ese aire irónico. Durante los dos años —o casi— que tuvo las riendas del poder hemos perdido todo el norte de España, una parte del litoral del Mediterráneo y finalmente toda Cataluña. La razón más profunda de una derrota tan enorme fue la estúpida y brutal dictadura comunista que dirigió nuestra desgraciada guerra y provocó ese trágico desenlace, dictadura cuyos agentes dóciles fueron Juan Negrín y su adjunto ministro de Estado: dictadores a la bota del partido comunista.

—Eran tus mejores amigos y pertenecen a nuestro partido.

—En otras épocas se fusilaba por menos que esto a los hombres responsables de tantas catástrofes, de tanta sangre y de tantas ruinas, o, al menos, se les condenaba a un encarcelamiento muy merecido —cuando no habían huido prudentemente al extranjero para morir en el oprobio, el olvido y la pobreza, en tanto que la Historia registraba sobre ellos su severo juicio—. Pero hay que creer que los tiempos han cambiado radicalmente; hoy los que huyen ante la justicia de su propia nación se marchan al extranjero con la audaz pretensión de continuar diciéndose el gobierno de la patria, que han arruinado por su inepcia, o por su traición, como hay lugar a sospecharlo justamente, entre otros cargos, por haber renunciado a defender Cataluña cuando todavía era tiempo.

—Eso no te lo voy a permitir, porque yo estaba allí y tú aquí. Se hizo todo lo humanamente posible. Si el material, acumulado en la frontera, hubiese pasado a tiempo...

—Por nada del mundo querían abandonar el poder: estaban dispuestos a no importa qué para conservarlo el más largo tiempo posible, ora en la victoria, ora en la derrota. Hace varios meses que Álvarez del Vayo, que no es precisamente un Talleyrand por talento político, pero que al menos se le parece por su amor casi enfermizo al exhibicionismo público, anunciaba que se podía perder toda España sin que Negrín y su equipo de políticos de genio dejasen de continuar gobernando desde el fondo de su retiro francés. He aquí que hoy piensan en la realización de sus profecías.

—¿Te das cuenta de que si trascienden tus palabras le harás más daño al pueblo español que todas las desgracias que según tú acumuló el gobierno de Negrín?

—Sé de fuente segura que hubo enormes irregularidades administrativas en la gestión de ciertos agentes del Gobierno en el extranjero. Y sé igualmente que altas personalidades republicanas depositaron a su nombre, en los bancos ingleses y americanos, gruesas sumas difíciles de justificar. La España republicana no podrá conocer jamás entre sus agentes y representantes a aquellos que obraron con probidad y a aquellos que no lo hicieron.

—Encenagas por gusto. ¿Qué tiene que ver esto con la resistencia del pueblo español? ¿Con esta traición de última hora?

—El cuerpo de la República muere, exangüe y hambreado, por la culpa de un Gobierno que durante casi dos años dio pruebas de extrema inepcia en las operaciones de la guerra, en la alimentación de la población civil y en la política internacional, que en la larga e infeliz historia del país no habían sido confiadas nunca a manos tan torpes e incompetentes; pero toda la superestructura se abismó en una neblina mefítica y fangosa.

—Si creías esto, ¿por qué no te alzaste en contra más que callando?

—Había que esperar el momento propicio.

—Se presentó. ¿Estás orgulloso, no?

—¿Cuándo podrá el pueblo español recobrar su fe en la pureza y la capacidad de los hombres representando sus partidos y sus organizaciones, y, con la fe, su esperanza en la democracia? Es lo más trágico en esta inmensa tragedia.

—No soy yo el que te lo hago jurar. Mide dónde has caído. Te conozco; no eres capaz de callar lo que me acabas de decir: vas a proclamar tus rencores, verdades y mentiras a los cuatro vientos, para mal de todos. Pero llegará un día en que tus odios —que no digo justificados en parte— se hundirán en el olvido y quedará el pueblo en pie y, aunque no quieras, Negrín dirigiéndole hacia la única solución honrada y digna que se le ofrecía.

Hubo un portazo.»

—¿Qué le parece?

Cuatro días antes, León Peralta entró en el despacho del Encargado de Negocios a.i., tras llamar con los nudillos.

—¿No puede anunciarse?

—Rosa María no está.

—No creo que lo que me tenga que decir sea tan urgente para que no pueda esperar que vuelva. Me molesta que no se respeten las órdenes que doy.

Don José María Morales tiene en mucho guardar las formas «precisamente ahora que andan destrozadas por los suelos».

—Rosa María no vino a comer, ni a cenar, ni ha avisado.

Son las diez de la noche, el diplomático está oyendo la radio de Burgos.

—Si le hubiera pasado algo, lo sabríamos.

—Tal vez sí, o quizá no se lo hayan permitido.

—Comuníquese con la Dirección General de Seguridad.

Luis Mora no estaba, habló con el Secretario del Director General. Tomó nota.

—Se trata de mi secretaria particular.

—¿No la encontraba algo extraña estos días?

—No. ¿Usted notó algo?

—Sí.

—¿Qué cree?

—No lo sé.

—Por lo menos esto nos lleva a suponer que no ha sido una detención inesperada.

Lo cursi no tiene que ver con la listeza —piensa, un tanto asombrado, el aristocrático limpiabotas.

Al día siguiente, alarmado, don José María puso a Luis Mora en antecedentes.

—¿Novio?

—Que sepamos, no.

—¿Es de absoluta confianza?

—Usted la conoce.

—Conozco a tanta gente que no conozco...

—Está aquí desde el 22 de julio de 1936.

—¿Cómo es?

—Como todas las mujeres: un tanto terca y caprichosa.

—Averiguaré.

No averiguó nada. El que lo supo fue León Peralta, por un comandante de la 44 Brigada, hombre de confianza de Burgos. El 5 de marzo, a las seis, unos policías especiales del Ministerio de Gobernación detuvo al *Comandante Rafael* acusándole de secuestro de una empleada diplomática. Lo metieron en los calazobos del edificio de la Puerta del Sol, pese a sus protestas.

Con la sublevación del Consejo de Defensa y la destitución inmediata de los policías que lo aprehendieron el militar quedó preso sin que nadie supiera quién era ni por qué estaba allí.

Al enterarse de quiénes le tenían ahora en sus manos tuvo buen cuidado de no reclamar y destruir sus documentos personales.

—¿Por qué estás aquí?

—No lo sé. Me cogieron borracho.

—¿Cómo te llamas?

—Pedro García Rodríguez.

—A ver si mañana te interrogan.

—No hay prisa, aquí estoy bien.

—Sí: en barrera de primera fila.

Los tiros rebotaban en la fachada. Alguno penetró en el sótano. González —de la VII— debe de estar atacando, piensa Terrazas. Se ve libre, en El Escorial, con Rosa María, por el monte, ¡ancha es Castilla!

13

Empieza a oscurecer.

—Como sea: hay que sacar *Mundo Obrero*. No podemos dejar sin contestación la sarta de porquerías que vuelcan sobre nosotros.

Tienen en sus manos los periódicos de la tarde.

Hay que llegar a la imprenta. Desde Fuencarral no es poco camino. Irán protegidos por diez hombres del II Cuerpo de Ejército. Hay que enlazar con las fuerzas de la 200 Brigada. Julián Templado empuña por primera vez un máuser desde aquel amanecer en que bajó a Usera, el 7 de noviembre de 1936, antes de salir para Barcelona. Los carabineros del II Cuerpo de Ejército dominan hasta la calle de Alcalá.

(¿Por qué se fue entonces? ¿Huyó? El viaje estaba apalabrado hacía más de ocho días. Sin embargo...)

—¡Pegaos a las parées! —grita Jesús Córdoba, que es de Sevilla.

—Les vamos a dar pocas... —susurra Pedro Curiel.

—Mañana no queda uno. ¿Cómo se van a poder enfrentar a nosotros? Somos los más y los mejores.

Templado cojea más que de costumbre, por el peso del arma. ¿Qué hacer con ella? Al desembocar en la Gran Vía, los fríen.

—¡Hijos de su madre! —jura el sevillano, que retrocede herido en un brazo—. Por poco me parten el coco.

Les disparan por detrás. Pedro Curiel cae fulminado. Otros tres, heridos.

—¡Daos!

Levantan los brazos.

14

—¡Vivir para ver! ¡Pascualín Segrelles de Subsecretario de Gobernación! ¡Cuando yo te digo! Hay
cosas que le revuelven a uno la sangre. No vale un
quinzet, y ya ves. ¿Para eso hemos dado la campana-
da? Fabricaba píldoras para la tos. Un calzonazos. No
te digo que como pintor estuviera del todo mal. Pero
como hombre, que es como hay que valorar las cosas,
¡vamos! Como concejal, como es natural, robó todo
lo que pudo. Fue discípulo de Mongrell, vivía en el
Carrer d'En Llop. Le conozco desde que era así de
chiquitito... (Terraza conoce a todos desde que fueron
niños; se dispone a endilgar la historia de la familia.
Rafael Vila corta por lo sano.)
    —¿Quiénes son los primeros?
    —Tres del SIM. Alejandro Renovales...
    —Ya era hora. ¿Quién más?
    —Julio Romero y Sebastián Luque. Los tres
por Las Delicias. Nos los han repartido por barrios.
    Vila, Banquells, Terraza y Mijares, en un co-
che negro, bajan a toda velocidad por la calle de
Atocha.

—Orden de llevarlos a Gobernación. Nada más, a menos que ofrezcan resistencia.

—¿Qué resistencia van a ofrecer esos cabrones?

Es la suya: la de los de verdad. Ahora verán, en Madrid, lo que son los anarquistas. Y la revolución. ¿Los rebeldes? Para todo habrá tiempo. Lo primero, acabar con esa grey nauseabunda de los negrinistas y comunistas que no piensan más que en borrarlos del mapa.

De madrugada, el segundo servicio los lleva casi al final de Bravo Murillo. Enfilan Serrano.

—Che: toma por la Castellana, que sin eso se nos hará tarde y, a lo mejor, avisan a ese hijo de Satanás.

—¿Quienes son?

—Uno, comisario de la VIII División.

Les dan el alto al pasar entre los Nuevos Ministerios y el local de la VII División. Al ver su documentación les hacen pasar al interior del cuartel.

—Tenemos preso a Girón —fanfarronea Victoriano Terraza.

—Ya lo sabíamos.

—Así que ¡cuidadito con lo que hacéis con nosotros!

—Aquí se trata bien a la gente.

—Y además soy el padre del *Comandante Rafael.*

A las once, los llevan a Chamartín, al cuartel general del II Cuerpo de Ejército, luego, con otros detenidos, apretujados en un camión, al Pardo. Los meten en un sótano. Son más de ochenta.

—Dicen que somos cerca de mil.

Los que no callan, blasfeman.

15

El chófer despierta a Vicente.

—Estamos llegando. Buen sueño te has echado. ¿Dónde vamos?

—Al Pardo.

Detienen el coche al llegar a Las Ventas.

—Documentación...

Vicente saca sus papeles. Los examinan a la luz de los faros.

—Baja.

—¿Por qué?

—Ya lo sabrás. ¿De dónde venís?

—No es a ti a quien lo tengo que decir.

Lo encañonan.

Y al chófer: —Baja tú también.

Obedecen sin remedio. Los tres armados cuidan más de Vicente que de Ramón Muñoz, que echa a correr en la oscuridad. Disparan tres tiros al azar. Una bala rebota en el bordillo de la acera y rompe un cristal.

III.   7 *de marzo*

1

—¡Como me enterara de que Julián toca a otra, lo mato! —clama Mercedes.

—¿Lo matas o la matas?

—Depende de como los cogiera.

—Pues yo estoy tranquila.

—¿Tienes una varita mágica?

—No, hija; pero Carlos no tiene tiempo.

—Feliz tú, pero si de veras me entero, los hago papilla. ¿Te molesta hablar de eso? ¿No te importaría que Carlos...?

—Sí. Pero hay otras cosas.

—Estás *chalá*. Donde hay un hombre, lo demás, boca abajo.

—A ti lo mismo debe darte —le contesta Manuela, con buena intención.

—Lo mismo me da ¿qué?

—Boca abajo o boca arriba.

—¡Mira por donde sale ésta!

Preparan gasas.

—Julián no apareció anoche.

—Como están los cosas no tiene nada de particular.

—Ése, con y sin alzamiento… Feliz tú que lo tienes *controlao*.

Manuela sabe que, a no ser por la guerra, no hubiese podido compartir la vida de Carlos Riquelme. La tomó porque la tenía a mano, porque no tenía tiempo de buscar a nadie, porque vive en el hospital; porque no piensa en nada como no sea en operar y ni siquiera en la traqueotomía pasada ni en la amputación que le espera, sino en lo que está sajando de la mejor manera posible.

Calla, segura de que si le hablara de su amor no daría con las palabras necesarias, ignorante como lo está de los sentimientos de su amante. Cree que al cirujano le basta la comodidad. Les oprime la falta de tiempo, los heridos a los que no se ve fin. La mujer sueña con pasar juntos todo un día. Para poder dormir —comenta Riquelme—. Dormir, lo único que apetece de verdad.

Opera desde las seis de la mañana: un niño de doce años con una bala cerca de la quinta vértebra, un viejo con otra en el abdomen: quince perforaciones; un mozo con la rótula derecha vuelta astillas; otro con la tráquea hecha polvo; amputa la pierna izquierda, a medio muslo, de un capitán que conoce. Esperan cientos. Falta toda clase de elementos: gasas, sondas, desinfectantes.

No hemos atacado, no hemos rechazado al enemigo. Son balas republicanas.

—¿Duelen más, no?

Hablan de miles de muertos. Hablan, ellos, los muertos. Toma excitantes para no dormir, calmantes para no dejarse arrastrar por los nervios. No puede más. A cada momento teme cometer una barbaridad. Le asiste Mercedes, con Julián en la mollera:

—Aunque sea un momento nunca deja de pasar. O llama. ¡Haber llegado a esto!

—Cosan. Otro.

Otro, otro, otro: anarquistas heridos por comunistas, comunistas heridos por republicanos. Todos éramos uno.

Leoncio Moreno se le muere en la mesa de operaciones. No resiste, a su edad, la anestesia, sin contar que el que la aplica no puede con su alma. El cirujano abandona bata, gorro, guantes.

—Dejadme en paz un par de horas. Después, ya veremos.

Se mete en un cuartucho, que antes servía de trastero, al fondo de un pasillo. Han puesto allí, desde hace meses, un catre y una silla. Hace tiempo que los cuartos de los médicos internos albergan enfermos. Duerme en cuanto apoya la cabeza en la almohada. Al despertar recuerda en seguida, de golpe, los sucesos del día anterior.

Si pudiera se abriría el pecho para que saliera todo el rencor que le amarga la boca. Pestilencia. ¿Por qué tanto imbécil? ¿Por qué tanto ciego? ¿Por qué tan distintos los hombres unos de otros? ¿Por qué esta impotencia para hacerles comprender lo más obvio? ¿Por qué tan cerrados de mollera?

Le duele todo el cuerpo de lo que está pasando; le es imposible sobreponerse, ver el día con la distancia que tantas veces le ha servido para calmarse y sonreír. Las cosas han llegado demasiado cerca; le ahogan, pesan, las manos de plomo. Y tiene que volver al quirófano.

—¿Quieres algo?

Mira a Manuela. No contesta.

—¿De verdad no quieres nada? Han detenido a Templado. No se lo he querido decir a Mercedes. Habría armado un follón del demonio.

—¿Por qué no me avisaste antes?

—Te quedaste traspuesto en seguida.

—¿Cómo lo supiste?

—Por unos compañeros de *Mundo Obrero*.

—¿Dónde lo tienen?

—No lo sé.

—¿Quiénes?

—¿Quién ha de ser? Los del Consejo.

Riquelme hace llamar a Bonifacio García, el responsable de la C.N.T.

—Habéis detenido al doctor Julián Templado. No puedo con mi alma, sólo él me puede reemplazar. Los demás están como yo.

—¿Dónde está?

—No lo sé.

2

Ramón Muñoz, el chófer, sabía de la vida y amores de Vicente Dalmases: siendo de la misma unidad ¿qué chismorreos no llegan a mil oídos?

Antes de ir al Pardo llamó por teléfono a la Casa de Socorro donde sabía que trabajaba Lola. Al no dar con ella dejó explícito recado, que le dieron a las seis de la mañana, al entrar a trabajar. Salió corriendo sin pedir permiso. Se detiene al llegar a la primera esquina. ¿A quién recurrir? De los sublevados no conoce a nadie. Hablar con su padre no conduciría a nada, fiado en los hados.

Se acuerda de Fidel Muñoz, en cuya «casa» estuvo un día con Vicente. Socialista viejo, quizá fuera «de Besteiro», y si no, tal vez, alguno de sus amigos.

Irreconocible, descolorido, verde, las arrugas hondas realzadas con la barba áspera, sucio; los ojos velados, las manos cruzadas sobre el fusil; sentado, ido. Al enterarse, revive.

—Iré a ver a Besteiro. Ahora mismo. Aquí (en el frente) no hace falta nadie. Dejan que nos entrematemos a gusto.

Lola se deja deslizar en una silla coja. Casi cae, se recobra. El esfuerzo físico la vuelve en sí.

—¿Te recibirá? —pregunta Silvio Úbeda al dueño del fortín.

—Creo que sí.

Con ellos está Bibiano Posadas. Los tres, viejos compañeros de partido y de profesión, ignoran que Leoncio Moreno —que les suele acompañar— acaba de morir, herido entre dos fuegos, unas horas antes, en una mesa de operaciones.

—¡Haber vivido para ver esto!

—Ellos se lo han buscado.

—¿Quiénes son ellos?

—Los comunistas.

—¿Te parece justo?

—Yo no sé nada.

Fidel Muñoz piensa en *Pirandello,* en su hijo, amigo de Wenceslao Carrillo. Tal vez fuera lo mejor. Pero no: ver a Besteiro; de una vez, darse cuenta. Sin contar que siempre sería más efectiva la intervención del *Profesor.*

Apesta el hedor de un cadáver que no pueden descubrir. Turbados con el quebranto de tanta miseria, la ira en las entrañas, el alma partida, con una pena incríble se separan sin palabras [1].

—Le acompaño.

El linotipista mira a Lola con extrañeza.

—No hace falta.

—No es por usted, por mí.

Fidel se alza de hombros.

—¿Estás segura de que lo tienen los del Consejo?

—Sí.

[1] No se habían de volver a reunir. Silvio Úbeda se acabó en la cárcel. Bibiano Posadas murió de consunción.

—¿Cómo lo supiste?

—Se escapó el chófer cuando regresaban de Levante. ¿Dónde vamos?

—A su casa.

Fueron hacia el chalet de Julián Besteiro, en el Hipódromo. No llegaron: la zona estaba ocupada por tropas adversas al Consejo. Disparaban al azar. Dando un gran rodeo de dilaciones, consultas, examen del carnet, nuevas preguntas, les dejaron entrar. En los sótanos, contra lo previsible, hicieron pasar enseguida a Fidel.

—¡Qué milagro!

—Don Julián, perdone mi atrevimiento.

—¿Atrevimiento? ¿Cuántos años hace que nos conocemos?

—Más o menos cuarenta.

Fidel Muñoz fue partidario de Julián Besteiro desde que éste destacó en el Partido Socialista hasta que, en 1927, pasó al bando de Indalecio Prieto cuando el profesor defendió la participación de los socialistas en la Asamblea Nacional convocada por Primo de Rivera.

—¿Tampoco ahora está de acuerdo conmigo?

—No lo sé.

—No podemos hacer gran cosa contra la realidad. Hemos perdido la guerra, Fidel. ¿De qué sirve que muera medio millón más de españoles? O, mejor, ¿a quién serviría? A Rusia. Inglaterra y Francia acabarán dejando las manos libres a Alemania contra la U.R.S.S. Nuestra resistencia sólo detiene ese momento inevitable.

—Mire, don Julián: el combatir o dejar de hacerlo por algo que ha de pasar si sucede esto o lo de más allá, ese luchar en condicional, no es para personas como yo; sin contar que, si va a pasar lo que dice, entonces, y ahí no creo equivocarme, será la victoria del fascismo para no sé cuánto tiempo.

—No: el fascismo y el comunismo se aniquilarán mutuamente. Los comunistas van únicamente a lo suyo. Por eso echaron a su amigo Prieto del Ministerio de Defensa. (Sonríe enseñando sus largos dientes amarillos.) España no es —no era— más que una baza en su juego. Saben que cuando gane Franco, Hitler les atacará, por eso quieren prolongar nuestra lucha hasta la sangre del último español, igual que los nazis, aunque por otros motivos.

—¡No los compare, aunque sólo sea porque los unos han peleado y pelean con nosotros, y como los mejores, y no enfrente!

—Para ellos no existe la ética ni les importan los medios —asegura el viejo dirigente—. Esa política no ha sido nunca la mía.

Fidel Muñoz calla un momento. Luego a ojos cerrados, fijo en la cara de su interlocutor, dice lo que, aun sin saberlo, le ha movido en parte a venir:

—Pero usted se ha levantado contra el gobierno legítimamente constituido. ¿Es ésta su ética? —añade sin dar crédito a sus propios oídos.

Besteiro se yergue y levanta.

—¿Para decir esto llegó hasta aquí?

—No, de ninguna manera, don Julián.

Con la emoción de ver al que fue su ídolo y enfrentarse con él, olvidó a Vicente.

—El gobierno perdió toda legitimidad al renunciar el Presidente de la República.

Va hacia la puerta.

—No vine a discutir con usted.

—No lo parece.

—Han detenido a un amigo mío, a Vicente Dalmases.

—¿Tipógrafo también?

—No. Un joven que vale un Potosí.

—¿Comunista?

—Lo supongo.

—Vea a Carrillo.

—Nunca nos llevamos bien.

—Pues éste es el momento de rectificar. En eso y en muchas otras cosas.

—Ni siquiera creo que me reciba. Y sería una barbaridad que a mi amigo le pasara algo.

—¿Ya sabe que los comunistas han matado y detenido entre anoche y hoy a centenares de los nuestros?

—No.

—Pues entérese.

Fidel Muñoz se aguanta las ganas de preguntar quién es el culpable. Vuelve a lo que vino:

—Así que usted ¿no puede hacer nada?

—Es cosa de Carrillo. Me ocupo de otros asuntos.

Otros asuntos... Lola le espera en el zaguán.

—¿Y qué?

—Nada. Que vea a Carrillo.

—¿Vamos?

—Es inútil.

—Vamos.

Bajan a la Puerta del Sol. Wenceslao Carrillo no recibió a Fidel Muñoz. Por si acaso, sin esperanza, dejó dicho lo que deseaba a un secretario.

—¿Qué hacemos?

—Voy a ver si encuentro a Trifón Gómez.

—¿Dónde?

—No lo sé.

Trifón Gómez está detenido en el Pardo. Lola se despide, tiene que buscar otros medios, pasar por la Casa de Socorro, lo que sea.

—Gracias.

—¿De qué?

—De lo hecho.

—Voy a ver qué puedo hacer.

—Déjeme recado en este número.

Fidel Muñoz sube por Montera, sigue por Fuencarral, llega a los Bulevares, engolfado, sin saber lo que hace ni lo que piensa. ¡Qué cansancio! ¿A qué bando pertenece? ¿Dónde el decoro y la reverencia? Relajada la disciplina; estragado, trastornado, oscurecido el entendimiento, tropieza. La conversación con Julián Besteiro le regurgita amarga. Vicente pasa a segundo plano.

«Parece hecho adrede, con los pies.» Ve a los suyos —Silvio, Leoncio, Bibiano— destrozados, la vida gastada en balde. Vicente, Fusilado. Frío. ¿Qué se desploma sobre el mundo? Madrid: el mundo. Fallidos todos sus designios. ¿En qué región nueva y desconocida entra a sus años? Se para a considerar su ignorancia, entrando a cuentas consigo. ¿Qué se juega? ¿Es que el valor, el coraje, el desinterés no valen? ¿Qué garlito le ha preparado la suerte? No se puede tener —Vicente, fusilado—. ¿Desde cuándo se cede sin más a la adversidad? ¿Quién no resiste al mal que le hacen? No es miedo. Van a dar sus brazos a torcer —y los míos, vencidos—. Padece, no puede aceptar la realidad: ¿cómo es posible que los rebeldes ocupen su casa, su puesto? Allí está de por vida. No puede domar la furia que la desventura enciende en su corazón. Zozobra, sin saber por dónde caminar. ¿Pasar adelante, volver atrás? Las ideas huyendo se le deshacen. La ira le acomete, lucha a brazo partido con ella. No, no es amor propio. Titubea de raíz. ¿A quién dar la razón? Nunca temió enfrentarse con lo que fuese —se jacta— porque jamás le pasó por las mientes —si de honra se trata— que se presentara un caso que le hiciera vacilar. El corazón, las figuraciones jamás le dieron la imagen de los problemas con los que se enfrenta. ¿Qué camino tomar? Duda de la realidad. No puede ser lo que está sucediendo. Confuso, la verdad oscura, se mueve entre mil luces, colgado de la duda.

Se queda de piedra al darse cuenta de que dos lágrimas se le deslizan por las mejillas. A su través, distorsionada, ve una figura que cree reconocer. No la conoce. Está solo, sentado en un banco, sin fuerzas, llorando.

Ve a *Pirandello*. Era lo primero que tenía que haber hecho. Se dejó vencer por la seguridad de que el *Profesor*... ¿Qué? Nada. Es natural: ¿por qué se había de interesar por un joven comunista por el hecho de que él —Fidel Muñoz, ex tipógrafo de *El Socialista*— gestionara su libertad? No su libertad, su vida. Romualdo Gamboa, el hijo de *Pirandello,* es otra cosa. Para cada caso hay que recurrir a la persona indicada; Besteiro era demasiado.

Fidel no conoce a Romualdo. Le ha visto pasar alguna que otra vez, apoyado en sus muletas, camino de la casa de sus padres. Le ha saludado. ¿Por qué ha de querer ayudarle? Por su padre. Tal vez; que no digan que no ha hecho todo lo posible.

—¿Quieres comer algo? Tengo un chusco y sardinas. Soledad ya comió. Lo cual es decir mucho.

—Vengo para ver si puede hacer algo por Vicente Dalmases.

—Ya me dijo Úbeda, al paso, que lo trincaron.

—¿Por qué no le pides a tu hijo...?

—¿Qué?

—Por lo menos que averigüe dónde le tienen detenido. Tú le conoces.

—Y a Romualdo. Tan pronto sepa que se trata de un comunista, se cerrará de banda.

—¿Qué le han hecho?

—Su cuñado era del POUM. Le escabecharon. Eran como hermanos.

—No es una razón.

—Te lo concedo, pero, por eso mismo, no hay ni habrá quien lo convenza.

—Prueba.

—Sembraron mucho odio.

—Prueba.

Pirandello lo promete, pero no lo hizo.

3

Julián Templado mira a sus compañeros. Cuatro. Conoce vagamente a uno, Vicente Dalmases, que duerme hecho un ovillo. El salón debió servir de clase. Bancos. ¿Cómo no los han quemado? Un pizarrón, una tarima, la mesa. Seguramente, en otra habitación parecida, pared por medio, media docena de personas están decidiendo a qué hora nos van a fusilar. Lo peor, el frío. A Julián Templado le hace cierta gracia morir ajusticiado por comunista. Nunca tomó las cosas en serio. Lo de ahora tampoco. Quisiera repasar su vida, lo único que consigue es enhebrar los nombres de las mujeres que ha querido. Ante y sobre todo a Teresa, criada de la casa de sus padres, en los años últimos de su bachillerato, en la calle de Campomanes. Teresa, la alicantina, la oscura, la callada, la hermosísima, que le trae a la otra Teresa: Teresa Guerrero, la traidora fría de Barcelona, y a Lola Cifuentes, la ardida de «el bombardeo no admite mediocridad», pasando por las cuatro alemanas de sus años germanos: Clara, Susana, Catalina y Frida (¿cómo podía faltar una Frida? Fue la última, un poco a la fuerza, más por el nombre que por la gracia.)

Nos van a fusilar por la espalda —por detrás, rectifica, obsceno— como si a los traidores (¿quién no es el traidor de alguien?) hubiera que ocultarles la muerte. Si me pusiera a gritar los apellidos de algunos amigos republicanos —don Fernando, don Bernardo, don Gaspar— tal vez se avinieran a llamar por teléfono para cerciorarse de que no soy tan malo como me pintan. Curioso, cómo un cartoncillo mata a un hombre —generalmente los hombres, aunque sólo sea para tirar al blanco, suelen apuntar a un cartón—; cómo una credencial acaba con el creyente. ¿Soy comunista? ¿Quién sabe? Pero no importa. De verdad, aunque me asombre de mí, prefiero criar gusanos a meter mano en este horrendo pastel de sangre y lodo de la entrega de Madrid traicionado. Así tenía que acabar nuestra guerra, a traición.

¿Se jacta?

No. Es así. Comunista porque saben, o parecen saber a cualquier hora, lo que tienen que hacer: para un médico es un consuelo. Julián Templado: vas a criar gusanos. Bueno: ni fu ni fa. Siempre quise morir de repente. Más de repente no se puede pedir... Bueno y sano y, de pronto, zas y al hoyo. Sin contar, como dijo aquel bendito padre: «Felices los ajusticiados porque saben a qué hora van a morir y pueden salvar su alma.»

Y, a lo mejor —Templado sonríe—, vengo a ser héroe.

¡Qué héroe ni qué nada! Recuerda su primer paseo por Madrid bombardeado, hace unos meses. Su asombro ante la destrucción. De la plaza del Callao bajó por el Carmen a la Puerta del Sol, subió por Carretas, y, por la Concepción Jerónima y la calle de Toledo, llegó a la plaza de Cascorro. Viendo la destrucción sólo se le ocurrió pensar que dentro de cinco, de diez, de veinte años todo estaría reconstruido y nadie se acordaría del espanto.

Te van a fusilar y ni quien se acuerde de ti. Entre otras cosas porque nadie se enterará. Sólo dentro de quién sabe cuánto tiempo alguien preguntará:

—¿Y qué fue de Templado?

El primero en no saberlo, yo.

Mercedes, Frida, Teresa...

¿Qué me han importado las mujeres sino para acostarme con ellas? Son animales horizontales. Recostado a su lado cobran su única razón de ser. No hay nada más muelle, mollar, suave, dulce, agradable, tierno, maleable, enternecedor, leve, cimbreño, amoroso. Antes, durante, después, pero siempre en la cama. Soy transigente: cama, catre, yerba, suelo —Elvira, ¿Elvira?, la Casa de Campo—; pero mejor cuanto más cómodo. Después, nada. Ya. Hasta la noche siguiente, o el día. No soy sectario, a pesar de lo que diga González Moreno.

Se reprocha, a los años mil, sus precipitaciones. Nunca ha sabido hacer el amor. Algunas se lo hicieron notar más de una vez.

—No tengas tanta prisa. Tú, hala y hala. No, hombre. Las cosas requieren tiempo.

«Todo tiene su debido temperamento y proporción», ¿dónde leí eso? Es posible que lo haya dicho Aristóteles...

—Atropellas sin darte cuenta, a lo tuyo. Ultrajas. Aquí no se trata de vencer al enemigo y como tal me tratas. (¿Quién fue? Aquella catalana de tan buen peso... ¿Te acuerdas? Verdad. Lo sabe, sin embargo avasalla; le importa demostrar su poder, sojuzgar, echar mano al bien ajeno. Rendir, someter, conquistar.)

Ahora está rendido y sometido, conquistado; no se trata de amor. Si salgo de ésta seré una seda, esperaré, maniobrando sabiamente. Sabe que no es cierto: no es la primera vez que se lo ordena. La prisa puede más que él. ¡Ábrete!

¿Qué busco? ¿Ésta, aquélla? Sí, ¿y luego? La guerra ha sido un sucedáneo. ¿De qué? Si escribiera lo que siento, para ver si puedo leer en mí ¿a quién le serviría? Sólo la traición puede afirmar a un hombre en lo suyo. Sólo traicionando puede uno verse desde fuera. Si se sigue siendo el que se es no hay manera de ver. Casado quiere saber quién es, por eso traiciona. Sólo los remordimientos le dan a uno su dimensión. Su dimensión de porquería, pero su medida. Soy incapaz de medirme. ¿A quién podría traicionar? Ni eso siquiera: no le importaría a nadie.

¿Qué es el poder? ¿Cómo ellos —nosotros—, que tenían la sartén por el mango, que lo podían todo anteayer, están hoy perdidos?

Nos encaminábamos a un paradero. Ahora no hay lugar. No es cuestión de valor ni de cobardía, sencillamente: lo que antes se podía, ahora no.

Nadie tiene ánimo para hablar, sólo para blasfemar. ¿De qué sirve ahora el ánimo? El vino se volvió agua, faltan fuerzas, rotos los brazos, inertes, sin dolor. Ya no vale la autoridad. Ni siquiera está en nuestras manos vivir o morir; falta el albedrío. Julián se ase, desesperado, a la razón.

—No somos los primeros a quienes falla el suelo.

—Pero así, en estas condiciones... —le contesta Vicente Dalmases.

—En las que sean. No te hagas ilusiones. Sin contar que todo es siempre distinto.

—Pero, ¿ahora? Ensuciando todo lo que tantas muertes construyeron, abriendo la puerta de par en par a la represión más feroz. ¿Cómo admitirá el enemigo componendas? Aunque no hubiese nada que hacer, esto era lo último que debían haber intentado.

Vicente le repite su pregunta:

—¿Cómo puede ser?

Le duele el pecho, como si le ahogaran los tres años de lucha. No puede respirar, le falta aliento. Todo hecho migas. No, migas no; mierda, excremento, lodo. No es la nada, sino peor: algo que no deja entrar el aire en el pecho. Haber entregado la vida, en todo momento, y que no haya servido para nada:

—Para eso, haber perdido el primer día.

—No. Primero: todavía no hemos perdido. Segundo: pase lo que pase, nadie olvidará lo que hemos hecho.

—Contémplalo.

—No dirás que es nuestra la culpa.

—Por no haberles machacado antes.

Cambia de tono para preguntar, desligado de sí, a un grandullón que empujan adentro:

—¿Cómo están las cosas?

—Por lo que he oído, indecisas: se pelea en la carretera de Guadalajara, en la Ciudad Lineal, en el Hipódromo, en la calle de Serrano, en Ríos Rosas, en la Castellana, en la parte alta del barrio de Salamanca. Aquí, ya ves.

Están en Fuencarrral, trincados. Tanques, artillería, aviación. Todo. El enemigo, el de verdad, no ataca. Si lo hiciera, a lo mejor «nos volvíamos a arrejuntar» como dice el *Camuesas*. Un gusto de lodo en la boca.

—No dejar uno —barbotea Carrión.

Están asomados a la reja, esperando.

—Se podía suponer cualquier cosa, menos esto.

Se amontonan los insultos, cuanto más soeces más repetidos.

—Yo lo tenía previsto.

—Calla, *Espantapájaros*.

Carrión no reacciona ante el alias que le callaron durante meses. Ahora no importa. Además, lo sabe y le cuadra: enorme, desgalichado, melenudo, narigón, enemigo del aseo «por el tiempo que hace perder».

—Lo que quieras, pero yo ya lo había cantado de antemano.

—Como Sarabia —dice Templado.

—¿Qué tiene que ver Sarabia?

—Nada —rectifica el médico cojuelo.

Se acuerda de una conversación, ¿hace nueve, diez años?, ¿en 1929, en 1930? Ahora Sarabia es general en jefe, ¿en jefe de qué?, ¿o está con Azaña, en Francia, negándose a volver al Centro? Templado tuvo una gran admiración por el Presidente de la República. Vuelve a ver la casa de Miguel Villanueva, tan rica. ¿De mal gusto? No, de la época, la de sus padres o abuelos. Antes. Ahora, cada quien escoge y adorna «su piso». Los últimos de la dictadura de Primo de Rivera. ¿O ya bajo el gobierno de Berenguer? Los constitucionalistas: ex ministros de la monarquía, enemigos personales de Alfonso XIII, que se las había hecho tragar gordas o, sencillamente, no los había «llamado». Ayer, hace unos años; nada, y parece que han pasado siglos: la casa de Miguel Villanueva; le llevó Sarabia —¿qué era entonces?, ¿teniente coronel?, ¿comandante?—. No: debió ser antes del 30. El 27 o el 28. El 27 no pudo ser: estaba yo en Alemania; el 28, en Barcelona; pero, entonces, pasaba grandes temporadas en Madrid. Sí. El 28. Su casa, en la calle de Campomanes. Teresa. A estas horas, la calle de Compomanes, ¿de quién es?, ¿a quién pertenece? ¿Es republicana, negrinista, casadista, franquista? Aquella visita a Miguel Villanueva, cacicón agrio, soberbio, inteligente, gran señor como todos aquellos hijos del chumbo.

Sarabia —tan gentil y obsequioso como corto de talla— a Villanueva:

—Ya tenemos ministro de la guerra.

(¿Quién sería ministro de la guerra cuando se fuera el Rey? Gran pregunta de todos: ¿quién cargaría con el mochuelo?)

—Ya tenemos ministro de la guerra.

Villanueva: —¿Quién?

Sarabia: —Azaña.

Villanueva:—No diga absurdos. A mí me llaman el *Moro avinagrado,* él es hombre de muchísimo peor carácter.

Sarabia: —Pero ¡qué preparación!, ¡cuánto sabe de lo militar!

—Es un orador —sentenció el viejo político ex monárquico—. No le importa el mando sino la palabra. Dios lo conserve siempre en la oposición.

Templado piensa que Villanueva murió antes de saberse profeta. Ya debía ser muy viejo por entonces.

Pegado al cristal de la ventana, avizora si vienen «a por ellos». Recuerda la última vez que vio a Manuel Azaña: en el banquete a Juan José Domenchina —su secretario— ¿en 1934, en 1935? ¿Habrá muerto Domenchina, tan grandote, gordo, lustroso, de hablar tan abundante y atropellado? Lo dejaron en Madrid a principios de la guerra. Si Azaña se lo hubiese llevado a Valencia, no se casa. ¿Por qué recuerdo esto ahora? A Azaña le importa la literatura, la historia —lo pasado consignado—, las letras en sí, historiadas; capitulares, miniadas. Capaz de perder a España por salvar *Las Meninas.* Templado se da cuenta de que piensa en Azaña, en Domenchina, porque en aquel banquete, en el Hotel Florida, fue cuando el gran

orador dijo que *Las Meninas* importaban más que...
¿que qué?, ¿que una provincia?, ¿que el poder? No
lo recuerda exactamente, pero sí el sentido. El médico
paticojo cree, ahora, a media mañana del 7 de marzo
de 1939, que se ha «hecho» comunista para protestar
contra la manera de ver y entender el mundo de su
amigo Manuel Azaña. A pesar de todo: gran personaje.

—¿Y no se ha intentado hablar con ellos?
—pregunta Vicente.

—No hay nada que hacer. Quieren acabar con
nosotros. Con los muertos que hay y los que va a
haber, la munición echada a perder, podíamos haber
resistido un año más.

Tiroteo suelto, ráfagas, cañonazos. ¿Bombas?

—¿Tú los oíste?

—¿A quiénes?

—A los de la Junta esa de mierda.

—Sí.

—¿Quiénes eran?

—Besteiro, Casado, Mera.

—Hijos de su reverenda.

—¿Con eso ya lo arreglaste todo?

—¿Qué quieren?

—Vendernos. Nos entregan y salvan la vida.

—Asesinando a la República.

—¿Qué República? —pregunta Carrión.

—La tuya.

—La de tu abuela.

Vicente Dalmases no entiende nada; en ningún
momento ha pensado que la guerra se pueda perder,
ni siquiera que se acabe, como su amor por Asunción.
Ahora resulta que la hez, los traidores se han alzado
con el mando y que quieren borrarlos del mapa a ellos,
los que quieren acabar con el enemigo. No lo entiende.
Le parece tan monstruoso que clama al cielo. ¿Al

cielo? Lo mira, gris. Y aquellos tres aviones republicanos bombardeando a los republicanos.

Templado: —Ya verás cómo Negrín se planta aquí y salimos adelante.

Vicente: —No lo creo.

Templado: —¿Por qué?

Vicente: —Los vi a todos, anteanoche.

Templado: —¿Y?

Vicente: —No sé lo que decidieron, pero tenían las caras muy largas.

Templado: —Es natural.

Vicente: —Tú, siempre tan optimista.

Templado: —¿Tienes algo en contra?

Vicente: —Estas paredes.

Templado: —Dirás esos cabrones que nos tienen presos.

Vicente: —Es el problema del huevo y la gallina.

Templado: —Explícame —ya que hablas de huevo y de gallina—, ¿por qué si un huevo cuece demasiado se vuelve duro y, en cambio, la gallina, en las mismas condiciones, se deshace de blanda?

Vicente: —No hagas chistes —hace una pausa; luego, sin saber por qué—: Considerar los sueños a la luz de la vigilia no tiene sentido.

Templado: —Pero son, eso no lo discutas. ¿No sueñas? ¿Quién no sueña? ¿Qué maldición pesa sobre nosotros sajando esta tercera parte de nuestro ser? Los griegos tienen la culpa. Cronos primero; lo pagó, pero no bastante. El hombre sin sus sueños, medio hombre; sin sueño, muere de la muerte más atroz; abolir los sueños duele menos, pero el hombre no se reconoce sin ellos. El que no sueña, está solo, irremediablemente.

Vicente: —No sueño y no estoy solo.

Templado: —Enhorabuena.

Emiliano Carrión, más bien tardo, pero de buen juicio, vuelve a lo del huevo y la gallina, problema que siempre le ha preocupado aun en el Rastro, apuntillando reses. Su madre, viuda antes de nacer él, nunca salió de las sombras de los altares; quiso que fuera si no cura por los menos sacristán. Las circunstancias, las peleas callejeras, en los descampados y en las orillas del Manzanares, le llevaron por caminos muy distintos. Luego ha leído, poco, pero ha leído.

—¿Tú eres médico, no?

—Sí.

—¿Qué fue primero, el orden o el caos?

—¿Qué quieres decir?

—Que si el orden salió del desorden o al revés.

—Es el problema del huevo y la gallina.

—Por eso te lo pregunto ya que hablabas de eso. No: el huevo y la gallina son orden puro. Muy *organizaos*. Quisiera saber si el desorden se ordenó o si el orden se desordenó.

—¿Y qué más da?

—¿Cómo que qué más da? Es un problema que no me deja dormir.

—Pues vas aviado.

—¿Cómo puede existir una cosa de pronto, hecha y derecha, si no es por milagro? Es decir, el orden; es decir, Dios. Pero si, al revés, primero fue el caos, el polvo, el maremágnum, y de ahí, por casualidad, empezó a formarse la cosa, es algo más comprensible.

—Entonces, ¿por qué te preocupas?

—¿A ti te tiene sin cuidado?

—Completamente. Y si te lo has callado hasta hoy, lo mejor es que sigas igual. A lo mejor armas una revolución con ideas tan nuevas que, quién sabe, si están dentro de la línea del partido...

Julián Templado se reconviene. Emiliano se sienta en un rincón, amargado. Piensa en su madre, que cría gusanos hace meses. Quiso confesarse y no pudo. La guerra. El matadero, el rastro, los animales desplomados. Des-plomados. Él al revés, con plomo en las entrañas. Mira con rencor a sus compañeros. No quiere morir. No sabe por qué —vive solo— pero no quiere morir, y menos así. Morir, él, que mató tanto. Se da cuenta de que jamás, en sus treinta años de vida, pensó que moriría. Y ahora tiene ante sí el enorme agujero de la nada. Pero, tal vez su madre tuviera razón. No lo sabe. No puede hablar de ello con nadie. O, quizá, no lo maten. Entonces... Entonces ¿qué?

4

En un piso destartalado de la calle de Fuencarral está reunida la ejecutiva de la U.G.T.: cuatro
en total. Esperaban a González Peña, su presidente,
pero se fue con Negrín.

—No podemos dejar abandonados los intereses de los trabajadores en este momento, sea cual sea
nuestro criterio. No podemos estar ausentes de las
conversaciones que van a entablarse para hacer la paz.
Hace unos meses teníamos dos millones de afiliados.

—Nunca creí que Besteiro...

—Besteiro sigue siendo el mismo: procede de
la Institución, admirable organismo liberal que creyó
que la instrucción es la madre de todos los bienes,
política inclusive. En el fondo sueña (Besteiro) en
un despotismo ilustrado. Los métodos comunistas tenían que herirle profundamente. Besteiro es un tipo
muy complejo; socialista por deducción lógica. Me di-
réis que la mayoría de los jefes revolucionarios fueron
así. Pero él no fue nunca revolucionario. Embarcado
en la guerra le domina la misma idea que le impulsó
a oponerse a la huelga del 34.

Se oye, cada tres minutos, el disparo de un cañón. ¿Quién dispara contra quién? El enemigo no es. En la otra acera unos niños discuten acerca del calibre:

—Es del quince.

—¡Qué del quince!, del siete y medio y gracias.

—Aunque no queramos, tenemos que designar a un miembro de la ejecutiva como representante de la U.G.T. en el Consejo.

Miran a Antonio Pérez, dirigente sindical ferroviario, amigo y admirador de Besteiro; más que reformista, conservador.

—Me conocéis. Pero estoy con vosotros, en contra.

—En contra ¿de qué?

—Del Consejo.

—Eres el más indicado.

—Para Besteiro, la victoria, en la que nunca creyó, hubiera sido una derrota. Para él nada compensa, filántropo y sentimental que es, la muerte de tantos hombres.

—Y no le importan las que ha arrastrado su gesto... No, no me digáis nada: muy recto, muy buena persona, muy capaz de morir por sus ideas. El que no fuera masón siempre me dio mala espina. Los intelectuales acaban siempre por fastidiar.

—Para la burra, que desbarras.

—Tan enemigo de la publicidad, de la propaganda... Yo le dije que la descuidábamos lamentablemente desde hacía meses. ¿Sabéis lo que contestó?: —No la necesito, tengo detrás de mí mi vida política; delante no espero nada. Refiriéndolo todo a él.

—No es un hombre fácil.

—¡Qué ha de ser! Siempre me reventaron esos que echan por delante, en todo momento, el deber,

el deber del deber, la ética profesional, la conciencia.
Tal vez queden bien en la historia, pero siempre a
costa de sus contemporáneos a los que no pueden
tragar.

—Quiere repetir la frase que tanto se le aplau-
dió siendo Presidente de las Cortes Constitucionales,
cuando la sublevación de Sanjurjo, el 32: «Que nos
cojan trabajando.» Ahora se lo harán bueno. Tuvo
bastante con lo del 17. Se asustó de la condena a
muerte, del penal, y en cuanto a eso de que no sabía
nada de lo que se trama aquí: ¡cuentos! José del Río,
que no es sospechoso ya que forma parte del Consejo,
me lo contó, a mí y no a otro. Días después de la
caída de Barcelona fue a verle por encargo de su partido. Besteiro le dijo que se alegraba de la visita, que
sabía a qué atenerse referente a la situación por informes de Casado, que ya no había más poder que el
militar, que sólo el ejército podía salvar el honor y
que estaba dispuesto a respaldar cualquier movimiento
conducente a ese fin con su «autoridad moral y con
su sacrificio personal». Le habló de la disposición de
Inglaterra de mediar cerca de Franco, Alemania e Ita-
lia «para llegar a un final sin derramamiento de sangre y sin persecución». La opinión de Inglaterra —le
aseguró— le fue expresada por «su enviado Mr. Stevenson». No invento ni añado nada.

—No sé si fue con el Mr. Stevenson ese, pero
lo que es con el cónsul de Inglaterra...

—¿Mr. Cowen? Veía a diario a Casado.

—Todo lo que queráis, pero Besteiro no ha
engañado a nadie.

—Pero traiciona.

—Hasta cierto punto.

—Aquí no hay punto que valga. Se traiciona
o no.

—Es más complicado.

—¡Narices!

A la salida, González Moreno espera a Rodríguez Vega.

—¿Y?

—Nombramos a Antonio Pérez para representarnos en el Consejo.

Rabia en la intención, desaliento en el tono. González Moreno mira a su viejo amigo y compañero, luego se rasca la nariz, huyendo la mirada.

—¿Qué podíamos hacer?

Salen a la calle. Les parece que las piedras se han vuelto más negras, la gente más seria envuelta por un frío que no es sólo del viento.

—¿Vienes de Hacienda?

—Sí. Miaja se vuelve a Valencia. Están furiosos porque, a pesar de todo, los comunistas sacan *Mundo Obrero*. Por el Hipódromo y la calle de Serrano hay una batalla de verdad. Dicen que tienen detenido a Checa.

—Y que los comunistas han fusilado a treinta y dos militares del Estado Mayor y a Fidel Muñoz.

González Moreno se para, se vuelve, mira a Rodríguez Vega.

—¿A Fidel Muñoz?

—Sí.

—Pero si vino a verme anoche para ver de dar con un comunista...

—No lo dudo.

—Me hizo ingresar en la Federación Gráfica, allá por el año 20...

—Se le ocurrió ir a la Casa del Pueblo con ese mismo objeto a ver al hijo de *Pirandello,* y no sé quién se acordó de que había sido de Besteiro. Se lo llevaron. Y a Ángel Peinado.

—¿El Secretario de la Unión de Grupos Sindicales Socialistas?

—El mismo que vestía y calzaba.

—Ya nadie sabe quién es.

—Ni lo que fuimos.

5

Acostados en el suelo, transidos, pegados el uno al otro, Victoriano Terraza y Agustín Mijares miran crecer el día a través de un ventanuco.

—En 1906 fui a la Escuela Moderna, en la Plaza de San Gil. Un caserón, una gran escalera, con un león rampante. La inauguró Francisco Ferrer. La dirigía un concejal republicano, Ortega, que, ya viejo, se hizo conservador. Todos los fundadores eran anarquistas, pero la amistad con Blasco Ibáñez les llevó al republicanismo. Formaban la brigada de choque del partido. Tenías que haber conocido a un tal Cañizares, alto, fuerte, bárbaro. Era un espectáculo sólo verle. Al año siguiente trasladaron la escuela a la plaza Pellicers. Cuando murió Alfredo Calderón todos los profesores y los alumnos fuimos al entierro llevando banderas republicanas y flores. Llegamos al cementerio en tartanas y galeras. Regresamos a pie los que no cupimos en los tranvías de dos caballos que entonces iban hasta allá.

El cementerio, el fin del mundo. Victoriano recuerda esa expedición, siempre presente. Fue la gran aventura de sus siete años. Se peina con los dedos, nervioso.

—El primero de la clase era Amadeo Sastre, hijo de anarquistas, joyeros; rubio, guapo, lo que se dice «bien parecido» y muy desenvuelto. Pasando el tiempo, cuando tuvo dieciséis o diecisiete años se hizo chulo de putas. Huyó de Valencia para no dar qué hacer a sus padres. Fue a Barcelona y luego al Tercio; al poco tiempo ya era capitán. Después, cuando formamos la agrupación de los antiguos alumnos de la Escuela Moderna, apareció de pronto, provocando a las chicas. Casi se pega con un muchacho llamado Fiol, jabonero, que vivía frente a las Torres de Cuarte, por pretender a su novia. Como joyero era habilísimo.

Como siempre, el viejo anarquista habla como si quien le escucha estuviera al cabo de la calle y metido en los meandros de su memoria.

—De las chicas, ¿quién no se acuerda de Irene, de Electra y América Barroso? Fue la primera escuela mixta. Irene tenía un perfil griego, guapa, con bonita voz. Los Barroso eran marmolistas, huyeron a la Argentina por unos atentados hechos en Barcelona. Regresaron al nacer América. Electra era alta, fuerte, rubia, ingenua. América, muy fina, tuvo desde niña un aire distinguido. Muy amigas de los Manaut; el padre, fundador de la escuela, era crítico de arte; los hijos, pintores. Allí estaba Zanón, mi amigo Zanón, enteco, bajito, cetrino, muy vivo. Algún día te contaré la historia de Zanón.

Agustín no le interrumpe. Oír hablar de Valencia le es grato, aun muerto de frío y sueño, sin saber qué va a ser de ellos.

—Valencia es una tierra de artistas. Yo entonces andaba muy metido con ellos. Nos reuníamos en la calle de Liria, frente a la casa de Salvador Giner; un patio hondo, húmedo, al fondo de una escalera

muy empinada. ¡Qué estudio! Estaba en el tercer
piso. Lo hizo José Borrás, el pintor; grande, muy
espacioso, con un ventanal que tenía por lo menos
veinte metros; daba sobre el río. Desde allí se veía
el puente de San José, la Casa de Socorro, la entrada
de Marchalenes, el camino de Burjasot y toda la huerta de Campanar. Había una ventana, del otro lado,
que daba a un huerto, con árboles altos, frondosos,
llenos de pájaros, donde trabajaban cordeleros —de
Mena, un hijo de puta— y una fábrica de sedas a la
que se entraba por la calle de Burjasot. Desde allí
se veían los tejados de la casa de Salvador Giner, el
músico: el de *L'entrá de la murta,* de mediana estatura, blando de carnes, canoso, llevando siempre ropa
usada y flácida en la que se notaban mucho los bolsillos. Al lado había un convento de monjas donde
entré durante la guerra. En casa de Giner se oía muchas veces un piano. Ya muerto el músico lo tocaba
una muchacha muy guapa que murió tuberculosa, hija
de un consignatario y contrabandista: hombre fuerte
y de apariencia distinguida, con gustos «de señor» y
al mismo tiempo con la audacia del que está acostumbrado a tratar con pillos y con valientes. En el por-
che de la casa de don Salvador estaba el estudio de
un muchacho escultor —Pascualet Buiges, *Llágrima*—
delgadito, pequeño, con el pelo muy rubio y muy liso,
anarquista también. Muy hábil trabajando la piedra,
el barro, la madera. Tuvo que salir del taller de Ba-
llester por sus travesuras y sus ideas y la envidia sorda
del maestro por la habilidad del chico. *Llágrima* vivía
solo con su madre a la que mantuvo desde niño. Eran
de Pedreguer, un pueblo de Alicante. La madre con-
servaba relaciones con unos parientes que le pasaban
una pequeñísima pensión para ayudarla —un cura
viejo, muy bueno—. *Llágrima* se enamoró de una
modelo de Just, el escultor, y se casó con ella y se

fueron a la Argentina. Eso debió ser hacia 1920. La modelo vendía tea en el Mercado Central. Se llamaba Doloretes, tendría unos quince años. Medio enamoriscada de Just. El que se enamoró de verdad de ella fue Vicente Alfaro, hijo de un carnicero muy rico, que solía ir por el estudio. *Llágrima* y Doloretes se fueron a la Argentina, un poco por huir del señorito que estaba dispuesto a todo. Luego regresaron, el muchacho traía unos bronces patinados en rojo y en azul y montó un estudio en la calle de Bailén. Lo curioso es que ya no se acomodaron a la vida de Valencia y regresaron a la Argentina. Doloretes era pequeñita, feúcha, chata, con un cuerpo más bonito que el de la Venus de Cirene. Se conocieron en el patio donde ella iba a vender tea a unos peluqueros —Vicente y Salvadoret Catalá—. Ellos le propusieron que sirviera de modelo a Just. De aquel tiempo es otra modelo: Isabel, la *Estupenda,* que sirvió para un desnudo grande de Julio Vicente. La escultura se llamaba «Aurora». Era una putilla de la calle de En Bañ, fea, boca desgarrada pero con un cuerpo maravilloso, blanco, como de mármol. Ganaba mucho dinero como modelo y protegía a algunos artistas jóvenes y no les cobraba. Era un asombro ver su cuerpo tan hermoso, el pubis incipiente. Todos andábamos locos. Virgen, además.

—¿Pero cómo es posible que fuera virgen si acabas de decir que era una puta?

—Te hablaba de Doloretes. Bajo del estudio vivía, en un lugar húmedo y lóbrego, oscuro, con luz encendida todo el día, un individuo muy marchoso, de la época de Blasco, vigilante de la calle. Tenía un hijo que, al revés del padre, huertano con mucho desenfado y suficiencia, era menudo, con tipo de pillete del barrio del Carmen y uno de los mejores carteristas que ha habido en la historia. Y también sacaba, si hacía falta, la pistola o la navaja. Le pegó dos tiros en el cuello al más valiente de entonces, Vicente Casasús, el *Tellina.*

Agustín Mijares se acomoda de espaldas al hablador.

—En la Plaza de la Jordana estaba el taller y el estudio de Rubio, gran imaginero. Alto, fuerte, guapo, con aire de tipo del Renacimiento, profesor de San Carlos, y, a pesar de su profesión, republicano y anarquista. Él hizo las cariátides de la casa de Blasco, en la Malvarrosa, y la mesa de mármol, de estilo romano. Compañero de estudios de Bartolomé Mongrell. Siempre llevaba unas navajas tremebundas.

Agustín ronca, Victoriano Terraza —herido— calla.

Don José María Morales está consumido —interiormente—; nada le abre más el apetito que el desasosiego, la impaciencia, y Luis Mora no ha aparecido en dos días. No ha ido por la casa de huéspedes, y, para obtener informes, no puede llamarle a la Dirección General de Seguridad. Ha enviado a la portera; las respuestas son vagas. Al caer la tarde, por fin, se presenta el burócrata, hambriento y sucio:

—No me diga nada, que le voy a decir mucho.

Saca una libreta:

—He ido apuntando las noticias a medida que me llegaban, para no hacerme un lío. Son de ayer y de anteayer: las cosas van mal para el Consejo de Defensa: en Levante no pueden contar con nadie; en Extremadura, las divisiones de Cartón y de Toral, se han declarado en contra; aquí le son adversos los dos primeros Cuerpos de Ejército y aunque no hay noticias ciertas del que manda Ortega, es de suponer que tampoco favorece a la nueva situación. Está solo; tiene a sus relativas órdenes el IV Cuerpo de Ejército, mandado por Cipriano Mera. Y digo relativas órdenes porque está a ochenta kilómetros y para llegar directamente sin tropezar con los comunistas tendría que pasar por una carretera batida a todas horas por el ejército de Franco. Ni los carabineros ni los guardias de asalto son elementos de confianza para el coronel Casado. Los guerrilleros acampados en Alcalá son comunistas.

El barrigoncillo no puede refrenar su impaciencia.

—Deme, deme —dice por el cuadernillo.

—No lo va a entender.

—Estoy acostumbrado a descifrar letras más enrevesadas.

—No es por la letra, que tengo bastante clara, a Dios gracias. No, pero son apuntes sin desarrollar, repetidos a veces.

—Bastan. Hoy no puedo extenderme. Mañana reestructuraré, y, como es mi obligación, sacaré las debidas consecuencias.

Llama al azancaneado Peralta, que sustituye a Rosa María.

—Escriba, escriba: los comunistas en el Ejército del Centro son el grupo relativamente más numeroso en lo que se refiere a los mandos y al comisariado. Punto. Paréntesis. Institución encargada del trabajo político en el ejército. De los cuatro Cuerpos de Ejército que componen el del Centro, tres están mandados por jefes comunistas: Barceló, Ortega y Bueno.

—Esto ya lo sabe, ya se lo dije, ya lo apuntó.

—No importa.

—El movimiento contra el Consejo de Defensa está dirigdo, al parecer, por el Comité Provincial del Partido Comunista de Madrid.

—Digo al parecer porque carecemos de noticias exactas, como es natural.

—La lucha en las calles es extremadamente violenta. Hay muchas víctimas, que no se pueden calcular por ahora.

—En vez de se pueden, ponga puedo.

—De una parte y de otra se han hecho muchos prisioneros. Al parecer, Pedro Checa, Secretario de Organización del Partido Comunista, está entre las manos de la Junta.

—Que es como suelen llamar ahora al Consejo de Defensa, en recuerdo de noviembre del 36.

—No he podido confirmar la noticia, pero se me apuntó la posibilidad de que esté detenido en el local que tenía el Comité Central del Partido Comunista en la calle de Serrano, en cuyos alrededores se está librando ahora una sangrienta lucha.

—Eso fue ayer —dice Peralta.

—Rodríguez Vega, Secretario de la U.G.T., está intentando poner término a los combates, siempre que no se ejerzan represalias. Habló con Ángel Pedrero.

—El jefe del SIM.

—Que ha cooperado en la formación del Consejo de Defensa. Pedrero ha ido a consultar con Casado y Besteiro para dar autoridad a su gestión. Según me acaban de comunicar, Pedrero habló con el Consejero de Gobernación, Wenceslao Carrillo, que estima que no procede realizar ninguna clase de gestión de avenimiento. La lucha continúa y las calles están sembradas de cadáveres.

—Que con su pan se lo coman.

El policía mira a Peralta. Sigue:

—Existe una lucha sorda, empeñada para sustituir a Pedrero. Los anarquistas quieren poner a Salgado. Los socialistas se oponen. La radio, unas veces está en poder de unos, otras de los otros. Los comunistas han copado la posición *Jaca*. Los anarquistas han mandado venir a la XIV División, que está en Guadalajara, con órdenes de aplastar a quien sea. La aviación, que parece estar con el Consejo de Defensa, bombardea el palacio del Pardo, cuartel general de Lazcano, jefe de la VIII División. Parece que ahí están detenidos Gómez Osorio, gobernador civil de Madrid, y Trifón Gómez, Intendente General de la República. Socialistas los dos.

—Y de gran importancia.

—Y cuatrocientos o quinientos anarquistas.

—Parece que han fusilado a algunos jefes militares.

—Hoy los comunistas se repliegan hacia Chamartín. Batallones de la III, XIV y XXV División, con dinamiteros en la vanguardia se han metido en Madrid y atacan. La confusión es total. Acaban de dar órdenes a los partidarios del Consejo de ponerse un brazalete blanco. Lo llaman «el anillo de Casado».

—Chiste que no me parece del mejor gusto —dice León Peralta.

Don José María no hace caso. Dicta:

—Más de dos mil muertos.

—Ortega acaba de llamar a Casado pidiéndole bases para un acuerdo —añade Luis Mora.

—Excelente, excelente —comenta satisfechísimo don José María—. Sigamos. Escriba, Leoncito, escriba. Luego abriremos una botella de manzanilla de las que tengo guardadas para estas ocasiones.

—Preferiría café —apunta Mora.

—Lo tendrá y legítimo. Siga, Leoncillo, siga. Punto y aparte. Escriba: Ruego a su Excelencia perdone no sólo el estilo sino la manera de amontonar noticias, pero se las voy dando a medida que me llegan para no perder tiempo. Añada que es inútil decir que el Consejo de Defensa ha barrido a todos los comunistas de los puestos de representación que ostentaban. Que se han desatado las ambiciones de mucha gente, que hay una pugna sorda entre los grupos que apoyan al Consejo. Que la expulsión de los dirigentes de algunos sindicatos es la mayor preocupación del Consejero de Orden Público. Eso lo sé de primera mano. La Junta se pasa el tiempo haciendo designaciones de altos cargos. Edmundo Domínguez, comisario del Ejército del Centro, ha sido reemplazado por Feliciano Benito, conocido anarquista madrileño que detuvo el gobierno, en Tarancón, en noviembre del 36.

—Aquí hay una nota de última hora: los nacionalistas acaban de dejar paso a una división anarquista, la XIV, para que pueda luchar contra los comunistas.

—Me lo acaban de decir por teléfono.

—Con su permiso, lo supe antes.

—No lo niego. Le felicito. ¿Nada más?

—¿Le parece poco?

León Peralta, radiante, pide permiso para transmitir las noticias a algunos de sus amigos.

7

—Lo grande es que la defensa de Madrid
—dice Dalmases a Templado— se hizo con hombres,
no con semidioses. Con hombres de todos los días, no
con soldados ilustres ni con pozos de ciencia militar
ni estrategas de nombre ni tácticos sin par. Fueron
gente como tú y yo, si no podridos, amasados con
defectos y vicios y virtudes. Personas con las que
tropiezas a diario en el metro o en el tranvía. Como
es natural en estos casos, necesitan un mito: lo en-
carnó perfectamente Miaja. Hombre vulgar, adocena-
do, calvo, gordo, subido de color, simpático, sonriente, abierto, amigo de producirse, empampirolado, sin
abuela. Tenías que haberle visto —le viste— en el
frente, por las calles, los teatros, los cines, sin caber
en su pellejo: —Sí —decía— yo soy la *vedette*. Él
contribuyó —¿quién lo discute?— en gran parte a
mantener la moral del pueblo, fue la representación
viva de su heroísmo. Por chiripa si quieres, pero fue.
Se ha dicho poco —porque no se sabe, ni falta que
hace— que perdió Córdoba al principio de la guerra
y, tal vez, con ello, todo. Le apartaron —lo destitu-

yeron— y aun quisieron fusilarle, y, posiblemente, según lo castrense, tenían razón. Creo que le salvó Martínez Barrio, de quien era amigo y partidario, Por eso Largo Caballero le echó encima la imposible papeleta de la defensa de Madrid. Hubo milagro, por el pueblo y los Internacionales. No crees en milagros, ni yo, pero fue, como sucedió en el Marne. No por nada se parecen, hasta físicamente, Joffre y Miaja —al uno le pones el bigote que quitas al otro, y ya—. Si ahora se ha portado como un cerdo no hay por qué echarle todas las culpas: también representa, hoy, hasta cierto punto, nuestra descomposición general. Un mal morir no puede infamar toda una vida. Lo cierto es que el pueblo español fue el único que se alzó, con armas en la mano, contra el fascismo, y míralo como lo mires, eso no lo borrará nadie.

—Llaman al doctor Templado.

Julián no contesta.

—El doctor Julián Templado.

—¿Qué hay?

—¿Eres tú?

—Sí.

—Podías haber contestado antes. Te reclaman. Parece que sólo tú puedes hacer una operación difícil.

—¿Yo? Si yo no opero.

—Mira, déjate de puñetas.

Lo llevan, bien custodiado, a San Carlos.

—¿Cómo dieron conmigo si hay más de tres mil detenidos?

—Casualidad —le retruca Riquelme—, ya que crees en ella.

—Tú, no.

—Lo que sucede es que la acepto, tú la adoras. Por eso juegas a la lotería. Anda, ponte la bata y no salgas a la calle por ahora. Luego veré qué debes hacer.

—Tú mandas, general. ¿Cómo están las cosas?

—Mejor no hablemos de eso.

8

No había tranvías. Don Manuel se fue a pie a casa de su amigo para rogar al general Riego o a Prim —o a los dos— que intervinieran en favor de Vicente o, por lo menos, le dijeran dónde se encontraba. Le detuvieron tres veces; le tomaron por loco y le dejaron pasar, la tercera unos jóvenes socialistas le encerraron en un portal un par de horas.

—Es cuestión de vida o muerte.

—Nadie lo duda, franchute.

—¿Qué hacemos con él?

—¡Bah!, déjalo. No vale la pena.

Santiago Lozano se extrañó:

—Usted y yo solos no podemos. Sin contar que hoy no toca.

—Avise a los demás.

—¿Con quién?

—Voy yo.

—¿Ahora? ¿Para que le peguen un tiro en la primera esquina?

—Qué más da. O creemos o no creemos. Si no estamos dispuestos a dar la vida...

—No está el horno para bollos.

—Pero es que yo necesito...

—Las cosas no se pueden hacer así como así. Si necesita, yo también necesito cierta tranquilidad, y no digamos Baldomero.

Baldomero, el insustituible médium.

—¿Dónde está?

—Supongo que en su casa.

—¿Dónde vive?

—Por la Cava Alta.

—¿Qué numero?

—El 26. Pero es inútil si no le digo yo...

—Véngase conmigo. Necesito saber dónde está Vicente.

—Ésa es otra: ni me meto ni me quiero meter en lo que pasa.

—Me traiciona.

—Usted no está bien de la cabeza. Nuestras cosas no son de este mundo.

¿A quién recurrir? Don Manuel vaga por las calles, desesperado. Ver, ¿a quién? Buscar, ¿a quién? Se estruja los sesos, ¿a quién conoce? Recuerda a Rigoberto Barea, el comisario de Cipriano Mera. Mera, ahora, del Consejo; Barea debe tener influencias. Buscarlo en seguida, corriendo. ¿Dónde? No tiene idea. ¿En el Ministerio de la Guerra? Va. No le dejan pasar. ¿Acudir al consulado de Francia? Va. Le dicen que les es imposible hacer nada: no es cosa suya.

No puede con su alma. Se sienta en un banco. No beber, no debe beber; Vicente ante todo. Sube, arrastrándose, por la calle de Alcalá. Tiros, una ráfaga de ametralladora, tiros. ¿Le apuntan? No. Llega al Ministerio de Hacienda, pregunta por Cipriano Mera, por Rigoberto Barea. No saben. Nadie sabe nada. Su protector, mudo.

Le acude a la memoria la figura de Enrique Almirante, conoce vagamente sus relaciones con las organizaciones anarquistas, tiene su dirección y el número de teléfono donde puden avisarle (por si se presentaba un cambalache importante, cosa que jamás sucedió). Llama, le contestan que su amigo no puede hablarle pero que le espera, que vaya inmediatamente.

—¿Tú, dónde estás?

—En la calle de Luchana, cerca de la esquina con la de Silvela.

—Bueno, baja por Martínez Campos, es más seguro.

Don Manuel no se extraña de nada. Sin importarle los tiros sueltos (*Si me dan, lo mismo da*), llega a la Castellana. Lo detienen tan pronto como pasa la reja de la casa que busca y encuentra.

—¿Enrique Almirante?

—¿Para qué le quieres?

—Han detenido a un amigo mío: Vicente Dalmases, teniente de la VIII división.

Asombro.

—¿Dices de la octava?

—Sí, la que está en el Pardo. Lo habéis detenido vosotros.

—No, viejo. Nosotros, no. Los de la Junta.

—¿Y Almirante?

—Ése, quién sabe dónde esté.

—Pero ¿vosotros?

—De la VIII.

Se han hecho con el edificio, apoyados con los que ocupan los Nuevos Ministerios.

—¿Qué hacemos con él? —preguntan a un capitán.

—¿Dónde puede estar Vicente?

—Eso quisiéramos saber. De él y de muchos más. ¿A quién conoces, de ellos?

—Cuando me detuvieron hace tiempo, intervino a mi favor un tal Rigoberto, comisario político de Cripriano Mera.

—¿Rigoberto Barea?

—Sí. Fui a buscarle. No di con él.

—Échale un galgo.

No pueden saberlo herido en un muslo, al asaltar la posición *Jaca*.

9

—¡Qué bonita la igualdad cuando se mide por lo menos un metro setenta! Pero si se es un escuerzo como yo ¡venid a hablarme de eso! Anda, sé valiente, empieza sin más: Camaradas: ¡Todos los hombres son iguales! ¡Una puñeta! ¿Qué hora es?

La hora. De noche, no hay. ¿Cuánto tiempo llevamos en este sótano? ¡Haber caído en el garlito tan imbécilmente! ¿Quién les mandó pasar por la Castellana? Y ahora ¿qué? ¿Qué van a hacer con ellos? ¿Despacharlos? No lo cree: ellos tienen tantos o más prisioneros. Saben que si los matan, los suyos no se quedarán atrás. Lo que conviene es pasar desapercibidos. Aguantar, esperar, reconcomerse.

—¿Qué hora es?

Juan Banquells se acuerda del reloj de arena de su tía, la verdulera. Se lo regalaron para que los huevos pasados por agua no estuviesen ni demasiado crudos ni demasiado cocidos, tal como le gustaban a su cónyuge. Él mismo lo trajo, muy envuelto, como si fuese la gran cosa. Ella dijo, alegre, yendo a él, meneando a lo badajo las tetas:

—A ver, a ver qué llevas.

El tío sonreía burlonamente, como siempre. Al niño le sacaba de quicio ese aire de superioridad que nunca perdía y que le arruinó en su estima desde que le vio. Decíanle el *Rey del estiércol,* Juan Banquells le colgó otro alias más rotundo, a base de iguales excrementos fundamentales. A través de los años lo recuerda siempre igual, como si no hubiese pasado el tiempo. Heredó el negocio de su padre, a lo que chismorreaban, de mala manera. Muy listo el retoño, le hizo firmar unas letras que obligaron al viejo a volver al pueblo montañés del que bajó a Madrid en tiempos de María Castaña.

Cuando trajo aquel reloj de arena a casa, Juan tenía ocho o nueve años. No lo recuerda exactamente. Ahora bien, puede precisar el mes: mediados de noviembre. Días antes había visto, por primera vez, *Don Juan Tenorio.* La escena del panteón le sobrecogió.

> —*¿Y ese reloj?*
> —*Es la medida*
> *de su tiempo.*
> —*¿Expira ya?*
> —*Sí, en cada grano se va*
> *un instante de tu vida.*
> —*¿Y ésos me quedan no más?*

El tener a mano un artefacto idéntico al que vio en la tumba abierta del Comendador le interesó como nada de lo que había visto antes.

Tras no pocas bromas, que encubrían su desencanto, la tía llevó el reloj de arena a la cocina. Juan lo iba a mirar y voltear por la noche, cuando todos dormían y sólo llegaba, de muy tarde en tarde, el ruido metálico de los cascos de un caballo y el más sordo de las ruedas de un simón sobre los adoquines desiguales de la calle oscura.

Le sorprendía lo angosto del talle del cristal del artefacto, que le recordaba el de su tía Consuelo, la hermana más joven de su difunta madre. A la luz de la bujía, le fascinaba la arena rojiza deslizándose con tal dulzura que le parecía amontonarse en su pecho. El embudo de la ampolleta superior correspondía exactamente al suave cono que se amontonaba en la de abajo:

> ...*en cada grano se va*
> *un instante de tu vida.*

Aterrado, con la seguridad de que, sin remedio, a menos que doña Inés le salvara a última hora, al deslizarse el último grano, moriría. Moría. Imaginaba las repercusiones que su fallecimiento ocasionaría en la casa: el pesar de Julia, de Bernarda, de Miguel, de Gustavo, que por depender del negocio, le querían. La sonrisa irónica del tío, los pésames. ¿Le llevaría luto? Iba a morir, la arena caía impertérrita, como si no se tratara de una vida humana, de una vida humana tan importante como la suya. Iban a escurrirse los últimos granos, brillantes, claros a la luz intensa de la vela.

—Si te entretiene, no tienes más que darle vuelta y volver a empezar. Esto es lo que se llama matar el tiempo y gastar velas en entierro ajeno.

La mano, el brazo del tío pasaron ante los ojos del niño e invirtieron el reloj. Juan Banquells se sobrecogió. ¿Cómo era posible que fuera tan idiota de haber supuesto...? Sí, lo mismo daba, la vida seguía, la muerte se volvía vida, era la vida misma, iguales derecho y revés; no existía tiempo sino él y su tío que le arreó una bofetada.

(Avaro, más beato que beatón, admirador de su propio trabajo, meticuloso de cuanto se debía al culto, seguro de sí, sin admitir réplicas.)

—Ahora ya sé quién se come el jamón. (Allí, al humero.)

No era él, de buen diente a pesar de su estatura. Pero calló; así empezó Juan Banquells a ser hombrecito.

—Sí, compañero, un hombrecito —le decía a Rafael Vila—. Porque yo nunca he pasado de ser eso: un hombrecito.

No enano, sino hombre diminuto. A veces deseó ser, descaradamente liliputiense; mas no pasaba de muy bajo de estatura. Grande para pigmeo, corto para hombre. Furioso de ser así. ¿Qué antepasado tuvo la culpa? Sus padres, a lo que le decían sus tíos, sin ser gigantes, pasaban desapercibidos, no sólo por la talla.

—¿A quién mato? —pensaba.

—¡Qué mono es!

Todo le venía grande menos el rencor, como pan en estrado a punto de boca de horno; quemándose a la menor ocasión. Al principio, ya que no de otra manera, vengábase con la lengua. Crueles:

—Ése lo ve *tó apaisao*...

No salía del suelo. Se las sabía todas: *retaco, tachuela, pigmeo, microbio, tapón de cuba, renacuajo* y, lo que más le hería, *mediohombre,* cuando, en eso, se las medía con cualquiera.

—Es fácil decirlo, pero piensa un momento en lo que representa verlo todo desde la altura de tu esternón... Piensa en cuclillas y despierta la lástima o la ternura de los que se tienen por buenos. Ahí te quisiera ver. Claro que se puede creer en Dios y en todos los santos, como mi tío, que en gloria esté. Empecé a ser hombrecito, a oír y a no oír, a figurarme que el más *pintao* me llamaba *escomendrijo* o *gorgojo.* Saber que cabe uno en un puño...

—Miren esa rebanada de hombre...

—¿Tú crees que se hace uno a la larga? Pues estás *equivocao*. Se hace uno cada mañana, y como se es: un metro cuarenta y ocho de hombre, y hay que acostumbrarse rápidamente, antes de salir a la calle. Y dejarse la pistola en casa, por si acaso, porque ésa lo iguala todo.

Sin contar que Juan Banquells era muy enamorado, pero si buscaba a una de su talla (en ellas es menos de ver, por los tacones y la especie) llamaba la atención la igualdad del tamaño de la pareja; si ella era mayor, la desproporción.

—Resignación, sobrino.

—¿Que si no, tío?

—Otros tienen cruces más pesadas.

—Pero no se les ve.

—Todos los hombres son iguales.

—Sí, ¡cómo no!: todos de un metro setenta. A eso llamaría yo igualdad. Lo demás es coña y cuentos.

Se ponía a soñar, frente al espejo, una humanidad igualitaria: todos de la misma altura; estirados los que no llegaban, rebanados los que sobresalieran.

Con los años y la época ayudando, Juan Banquells se hizo anarquista y fue muy escuchado en los conciliábulos de la Federación Anarquista Ibérica. Rebajó a muchos a la altura mínima del hombre:

—La horizontal es un buen término medio, hasta las panzas se sumen.

Con la guerra trajeron detenido un día a su tío —ya muy achiguado—, por aquello de la iglesia. El hombre, más por el recuerdo de la bofetada frente al reloj de arena que por otra cosa, no hizo nada por salvarle.

—¿Qué hora es?

—¿Qué más da?

—¡Cómo que qué más da! —grita, en la reja que da al jardín, Victoriano Terraza que no se aguanta, a pesar de los esfuerzos de sus compañeros—. ¿O es que no sabéis quién soy yo?

—Un bocazas —comenta el centinela.

—Yo, que...

—¡Cállate de una vez! —le ordena Vila.

—Pero ¿cómo me he de callar? ¡Detenerme a mí! ¿Qué se han creído? ¡Cuando se enteren los del Consejo no van a dejar uno! ¡Oídme, infelices! ¡Que me oiga ese cabrón de Ortega! ¡O Barceló! ¡O el lucero del alba!, ¡el que mande! ¡Que se enteren! ¡Soy Victoriano Terraza! ¡El antifascista más antifascista de todos los antifascistas! ¡La mano derecha de Val, el hombre de confianza de la Confederación! ¡Yo me he cargado a más de cien, a más de doscientos fachas! ¡Y me vais a tener aquí! ¡Yo fui a Bélgica, a Francia a comprar armas por cuenta de la organización! ¡Si no es por mí...!

—Calla ya.

—¿Callar yo? ¡Cuando lo que tengo que decir...!

—Cuéntaselo a tu abuela. No ves que...

El centinela no sabe a qué carta quedarse. Quisiera marcharse, olvidar, dormir. Por la mañana tuvo que formar en un pelotón de fusilamiento. Murieron gritando: —¡Viva la República!— No lo olvida. Pero a lo mejor lo que está diciendo este energúmeno es importante. Dede dar cuenta.

—¡Qué sabéis vosotros quién soy yo! ¡La de cosas que he hecho en mi vida! Por ahí andan muchos presumiendo, que no tienen ni idea de lo que es ser hombre. A mí nunca me ha temblado la mano. Cuando los más importantes han tenido que hacer algo ¿a quién han recurrido? ¡A mí! ¡A Victoriano Terraza!

—Oye, tú, aquí hay uno que dice que es muy importante.

—¿Sí? Pues vamos a darle una vuelta por la alameda.

Cuando Victoriano Terraza se da cuenta de lo que va a sucederle cambia de tono y de tema:

—Yo siempre fui partidario de la unión de todos los revolucionarios, fueran comunistas, anarquistas o lo que sea. Esto que pasa es una barbaridad. ¿No vais a...? ¡Soy el padre del *Comandante Rafael!* ¡Nada menos que del *Comandante Rafael,* uno de vuestros héroes!

—Y yo soy su tía. Dale recuerdos a la familia.

Un solo disparo.

Rafael Vila, como si hablara de otra cosa, cuenta:

—Me tocó mandar los primeros pelotones de ejecución en el Campo de la Bota el 19 de julio. No vayáis a creer que me gustó. ¡Qué va!, pero, ¿qué remedio? Alguno lo tenía que hacer y yo nunca me he echado para atrás. Es muy fácil decir, sentado detrás de una mesa: —Éstos, me los fusilan—. Basta con un gesto, una firma. Porque las cosas se hicieron como se debía: existían los tribunales, daban su veredicto pero ¿quién lo ejecutaba con el ejército disuelto? ¿Las patrullas de control? No parecía lógico; iban, venían, buscaban, encontraban, traían a los presos. ¿Las Milicias? Claro: el Ejército del Pueblo. Se acababan de formar. De todos modos, el Comité ordenó: que las Milicias cumplan las sentencias.

El ruido testudíneo de unos tanques.

—Me tocó la china. En mi vida he escupido más maldiciones. Creo que nadie puede echarme en cara nada en cuanto a lo que hay que tener..., pero no duré más que tres días: ni yo sabía mandar ni el pelotón obedecer. Disciplina no es que no la hubiera: no queríamos que la hubiese.

Alguien silba a lo lejos. Contesta otro. Calla un minuto, atento.

—¿Se lo habrán cargado?

—Un lío: los milicianos *no sabían de qué iba:* quien cargaba a la orden apuntar, quien disparaba antes de la voz de fuego, otros después. Un maramágnum de órdago. Y la gente viendo aquello. Para qué os cuento. Sin contar que había que rematarlos a todos. Yo ya no vivía. Claro que eran los primeros días. Las he visto gordas, pero como aquellos momentos...

—Tampoco éstos son malos.

—Aquí no nos ven, a lo sumo nos vemos cara a cara. Aquello era un espectáculo. No cabía más gente, por todas partes. La función empezaba al salir el sol. Se peleaban por colocarse lo mejor posible. Miles. ¿Qué digo miles? El día de Goded... Los traían en reatas de cinco o seis. Lo dejé estar a los tres días Era mucho mandar y, sobre todo, delante de todos... Sin contar que aprendieron pronto, me sustituyó Camarlench. ¡Qué días! No se los deseo a nadie.

—Ése no vuelve —por Terraza.

—Se daba mucha importancia. La paternidad es una mierda.

—Y los problemas que había que resolver sobre la marcha: me acuerdo de un coronel que pidió dar él mismo las voces de mando. Nosotros, siempre respetuosos con las últimas voluntades, no tuvimos inconveniente. El tío estaba blanco como la cera: —¡A la voz del coronel X... de la Z...! Pero no le salió un sonido más: se quedó mudo, se le rompió la voz, no podía, chicos, no podía. Debió pesarle más que nada. No se me olvida su cara, se odiaba como nunca he visto odiar a nadie. Mandé yo, ¿qué remedio?, pero sin darme tono, con su naturalidad. Alguien tenía que hacerlo. Y todo de lo más legal, públicamente, con los papeles en regla.

—Como ahora... —dice Banquells, con sorna.

—El último día, el último día que me tocó, entre los que íbamos a fusilar había un herido, vendada la cabeza. Andaba con decisión, se puso frente al pelotón por su propio pie, no quiso que le pusieran la venda en los ojos: —Me basta con ésa —dijo, señalando la que le cubría la frente—. Cinco eran en aquella hornada. Di las voces de reglamento: —¡Preparen! ¡Apunten! ¡Fuego!

Cayeron todos —habíamos adelantado en tan poco tiempo— menos el herido. Ahí se quedó, en pie, con las piernas entreabiertas, mirando, como tonto. Pudiendo escoger, ninguno le había apuntado, dejando a un compañero el cuidado de rematarlo. Cada quien pensó que otro le daría a «aquél». A mí, aquello me pareció bien.

—¿Y?

—Recargaron y le dieron de lleno.

—¿Qué hora será? —pregunta Banquells.

—¿Qué más te da?

10

—¿Dónde has estado metido todo este tiempo, *arrastrao?* ¿No podías pasar por casa?

—¿Yo?

—Tu abuela.

—¿No lo sabe? —pregunta Templado a Riquelme y a Manuela.

—No.

—Ah, bueno. Entonces no hay problema: con la Pompadour.

—Estuve detenido.

—¿Tú? ¿Por qué?

—Por idiota, que es siempre por lo que enchiqueran a la gente.

—¿Quién fue? ¿En qué lío te metiste?

—En el que nos han metido a todos.

—Pues de aquí no sales.

—Es lo más probable.

Mercedes vive fuera de la política, no se le alcanza las razones que la determinan aun cuando la gente se esté matando en las calles. Pregunta a Manuela —que hace tiempo la dejó por imposible:

—¿Es verdad?

—Si no es por Carlos, me escabechan.

—¿Sí? —pregunta a Riquelme.

—No lo sé.

—¿Qué vas a hacer?

—No lo sé.

—Vas a ir con González, en la Casa de Campo. Se ha quedado sin gente.

—Allí habrá poco que hacer: no atacan.

—Por eso mismo: estarás tranquilo. Te haré llevar en una ambulancia.

—¿Ahora? —pregunta Mercedes.

—Cuanto antes mejor.

—¿No puede esperar un rato?

Carlos Riquelme se alza de hombros. —Vente —le dice a Manuela.

Los dejan solos. El catre.

«Si lo que yo tengo es hambre» —piensa Templado.

11

Van a dar las doce de la noche. En su despacho —alto, ancho, largo, con un cuadro de Eugenio Hermoso en una pared (segunda medalla), otro de Moreno Carbonero enfrente (tercera medalla), muebles pesadísimos «estilo español»—, Pascual Segrelles se siente a gusto. Con cierto remordimiento porque no tiene casi nada que hacer: el «consejero»» lo despacha todo. Se da cuenta de que lo han nombrado por «republicano» y que no le *tocan* más que cosas sin importancia. Mejor, se dice. Gloria está en la ídem... Cada hora le habla por teléfono.

Durante la tarde recibió a dieciocho personas que, en general, fueron a consultarle acerca de nombramientos de concejales y alcaldes. Hay que sustituir a los comunistas y partidarios del ex gobierno. Al principio, Pascual Segrelles, dándose importancia, quiso consultar con Wesceslao Carrillo.

—Haga lo que quiera. Tengo otras cosas en qué ocuparme.

Gloria vino a las cinco: habían detenido al hijo de su costurera.

—Vamos a ver qué se puede hacer.

Dio en el vacío, nadie le supo —o quiso— dar noticia. Arcadio Zamora, jovenzuelo bien armado que le servía de ujier, le recomendó tomar como secretario a un amigo suyo, de la Dirección General de Seguridad, que le sería útil para estos casos.

Luis Mora no aceptó.

—No. Mire usted, don Pascual, yo no sirvo para estos puestos. No estoy presentable. No me corresponde. A mí que no me saquen de mis expedientes. Además, estaría mal visto.

Pascual Segrelles se sintió profundamente ofendido.

Lo cierto: Mora no quería comprometerse, asombrado de la ceguera de estos nuevos apóstoles, al parecer ignorantes de lo que se les venía encima.

Segrelles siguió resolviendo los problemas que se le presentaban, a la buena de Dios. Pudo enterarse de que el mozo por el que se interesaba Gloria no estaba en Gobernación. Con eso se dio por satisfecho.

—Seguiré investigando —dijo a su querida.

Le intranquilizaba no tener noticias de Amparo, sospechando que se le podía presentar en cualquier momento. Habló con Molina Conejero, gobernador de Valencia, pidiéndole noticias de su legítima y de su hijo. Las tuvo a las once y media de la noche. Estaban bien y no pensaban ir a Madrid.

Pascual Segrelles echa un nuevo vistazo a la habitación contigua, a la que se entra por una puerta pequeña, disimulada en un entrepaño; un dormitorio estrecho y largo «para pasar la noche si las circunstancias lo requerían» y un cuarto de baño. Sábanas, mantas, toallas impolutas. El funcionario decide que «tal como están las cosas» no puede alejarse de su puesto de mando. Así se lo dice a Arcadio Zamora que le pregunta si no quiere a alguien para entretener «las pesadas horas de la madrugada». Tarda medio minuto en comprender.

—No tengo nadie a mano.

—Por eso no se preocupe. Tengo una amiga de lo mejor. Pero lo que se dice de lo mejor. Guapa como no hay dos y simpática como ninguna. Si quiere la aviso.

—¿Quién es?

—Le dicen la *Gitana*. De toda confianza. ¿La aviso? Y si le llaman no se preocupe. Ya estoy acostumbrado.

Asiente Pascual Segrelles con cierta intraquilidad. No está hecho a infidelidades, con la oficial le basta. Todas sus liviandades son anteriores a su matrimonio, hace siglos.

La *Gitana* se presentó una hora después. Solía cobrar pequeñas cantidades por informes sin importancia. El Subsecretario no gozó con sogiego a la preciosa. No por falta de gusto sino por la inquietud que le producía el apagado ruido del teléfono, que llamó cinco veces mientras se dedicaba a los ejercicios propios del ayuntamiento. De todos modos se las prometía felices para los días sucesivos, cuando un tiroteo motivó la discreta llamada nudillera del joven tercero.

—Creo que sería conveniente que se fuera a los sótanos del Ministerio de Hacienda. Hay jaleo.

El hombre público entreabre la hoja de la puerta para preguntar:

—¿Qué hago?

Señala con sigilo, con un leve movimiento de cabeza, el interior de la habitación.

—No se preocupe. De eso me encargo yo. Hay partida... —le dice sonriendo—. Pero dese prisa.

Las unidades disconformes con el Consejo volvían a atacar.

IV. *8 de marzo*

1

Al amanecer, frente a una tapia del palacio del Pardo, el teniente Rocha manda el pelotón de fusilamiento de los tenientes coroneles Maldonado y Pérez Gazolo, del coronel Arnaldo Fernández y del comisario Fernando Leal, adictos al Consejo.

Por la carretera, grupos de mujeres van a los pueblos cercanos en busca de verdura y leña. Oyen la descarga, como si nada.

—En el Novelty pasan una película de rechupete.

—Yo no pude entrar anoche en el Capitol...

2

En la cola del carbón hay menos gente que otros días: corrió la voz de que no repartirían nada por no haber llegado el abastecimiento.

—Mala cara trae esta mañana el *Gabacho*.

—¿Cuándo la tuvo buena?

—Hija, años sin verte —le dice la *Malagueña* a la *Gitana*.

—Cómprate anteojos.

Se habla poco, se maldice menos.

—Pues, va a estar bueno.

—¿El qué?

—Nada.

Trozos de conversación sin sentido. Luis Barragán, que ha venido porque su mujer no se tiene en pie y él, por lo menos, ha dormido un par de horas, se pregunta si los que ve son así o llevan máscara. ¿Qué piensan, qué desean? ¿Lo saben o están donde los han puesto, como títeres, decididos a resistir lo que les caiga encima? ¿Descreen de lo que les ha mantenido firmes o, al contrario, sordos, se hacen más fuertes? Caras cerradas, tapados los oídos, indiferentes a las razones, aguantan. Van a lo suyo, que suponen es lo de todos, morir, decentemente. No desisten de su porfía. ¿O se engañan? No: es el pueblo de Madrid, vergüenza eterna para cuantos le quieran imponer lo que sea. Piensa, como todos los días de su vida, en la compaginación del periódico. Dentro de poco volverán a sacar *Estampa*. ¿*Estampa?* o *Falange* o *Arriba España*. La boca más amarga que ayer. Nunca se podrá hacer nada decente en España. Hace años que lo dice sin creerlo. Tampoco ahora lo cree. Don Manuel, a su lado, le pregunta:

—¿Cree que darán algo hoy?

—Leche.

El *Espiritista*, que no alcanza los valores reales del idioma, asegura:

—Esta es la cola del carbón.

—Y están mal ordenadas las letras y sobra el singular —contesta el formador.

3

Al tercer día de soledad, Rosa María decidió ver a los afinadores para que le dieran la dirección de aquel viejo que había dicho que conocía a Víctor. Así llegó a casa de Fidel Muñoz.

Encontró a Moisés Gamboa, hurgando.

—¿A quién busca?

—A un señor que según me dijeron vive aquí.

—Hace dos días que no aparece.

—¿Dónde le puedo encontrar? —*Pirandello* no contesta—. Tenía que darme una dirección.

—¿De quién?

—Del *Comandante Rafael*. ¿Sabe usted en qué brigada...?

—No lo sé.

—Hace días, el señor Muñoz dijo que le conocía. Se llama *Víctor Terrazas*.

—¿Quién?

—El *Comandante Rafael*.

—Lo he oído nombrar. Pero no tengo la menor idea de su paradero.

—Yo quería...

—No le puedo servir de nada.

—¿No conoce a nadie que…?

—No.

Dice que no queriendo decir que sí, que haría lo posible. Se le interpone agrio el recuerdo de su hijo.

—Tal vez lo sepa un muchacho valenciano, Vicente Dalmases. El que usted busca es comunista, ¿no?

—¿Dónde puedo ver a…?

—No lo sé. Ahora nadie sabe nada de nadie.

—No me quiere ayudar.

—Al contrario, pero hace días que tampoco sabemos nada de Vicente. Ayer vino una amiga suya buscándole.

No se atreve a decirle que Vicente está preso. No se fía.

—Es cuestión de vida o muerte para mí.

—En estos días, para usted y para cualquiera.

Viéndola tan desesperada le da la dirección de Lola.

Rosa María encontró al *Espiritista* desalentado y hambriento.

—Hace dos días que mi hija no ha aparecido por aquí. ¿Qué quería?

—Saber qué unidad manda el *Comandante Rafael*.

—No sé quién es. ¿No conoce a Vicente Dalmases?

—Me acaban de hablar de él.

—¿Quién?

—Un viejo.

—¿Quién?

—Lo ignoro.

—¿Dónde vive?

—Por los Bulevares.

—¿Vicente?

—No. El que me habló de él. Tampoco sabe nada. ¿No tiene idea de dónde puede estar su hija?

—Tal vez en la Casa de Socorro.

—¿Dónde?

—Al lado de la Glorieta de Quevedo.

Al bajar a la calle se le ocurrió que, tal vez, Luis Mora le podría ser útil en la búsqueda. Le llamó por teléfono. El funcionario se mostró encantado de oírla y dispuesto a ayudarla. Que le fuese a ver cuanto antes. Rosa María apretó el paso, esperanzada. La lucha seguía por las calles. Pegada a una casa del lado derecho de la glorieta de Bilbao, la hirieron, en sedal, en un brazo. Perdió mucha sangre; de la Casa de Socorro —en la que no estaba Lola— la llevaron a San Carlos para hacerle una transfusión.

4

Aunque Ramón Bonifaz es más joven que *Pirandello* son viejos amigos; los libros los unieron hace años, ambos con sus puntas y collar de bibliófilos y aficionados a hermosas encuadernaciones; sabios en cajos, lomeros, dorados, tejuelos, ex-libris. La guerra, con sus incautaciones, les llevó de sorpresa en alegría. El intelectual ácrata le ha sido útil al librero, consiguiéndole un piso intervenido por la C.N.T. —que le sirve de almacén— en la Plaza de Santo Domingo.

Moisés Gamboa le habló por teléfono:

—¿Qué le pasa?

—¿Dónde podemos vernos?

—¿En el almacén?

—Lo tengo cerrado desde que empezó este último fregado.

—Me es difícil dejar el periódico. Estoy prácticamente solo. Los comunistas tienen a García Pradas en una de sus pocilgas.

—Pasaré por allí cuando Soledad se duerma.

—Yo no salgo de aquí.

Ramón Bonifaz come un trozo de pan duro que moja en poleo. Moisés Gamboa le expone sus tribulaciones.

—Es cosa de Carrillo. ¿No está su hijo trabajando con él?

—Sí.

—¿Entonces?

—No quiero pedirle nada.

No cuenta lo que le contestó hace dos noches, al interesarse por el paradero de Vicente Dalmases:

—¿Comunista? Que se pudra.

En cuanto a Fidel Muñoz nadie sabe nada.

—A lo mejor le pegaron un tiro al salir de su casa.

—Lo hubieran visto. ¿Hasta cuándo va a durar esto?

Oyen el tiroteo.

—Traidores...

—No nos conocemos de ayer, Moisés.

—No, don Ramón.

—No me va a decir que no se lo tenían merecido.

—No digo eso sino de los que son amigos míos, sobre todo Fidel.

—Creí que hablaba en general.

—Hace mucho que dejé de hacerlo.

Hablan de la traición. De quién traiciona a quién.

—¿Qué es eso de traicionar? —pregunta Bonifaz—: ¿Qué quiere decir? Ser fiel a sí mismo ¿es traicionar? Ser infiel a una causa en la cual ya no se cree ¿es traicionar? No: el quid está en el provecho. Una misma cosa hecha con fines crematísticos, en vista de cualquier beneficio personal o para salvar el alma, es traición o lealtad.

—Habría mucho que hablar. Si se triunfa, la gloria; si no el olvido, o, a lo sumo, el estante de la heterodoxia.

—Librar de un riesgo a un enemigo, por re-
muneración, está mal; por salvar su vida, puede estar
bien. No hablo de dos personas distintas: de la misma. Es decir: si fulano hace pasar la frontera a zutano
y por ello recibe equis miles de pesetas, es un traidor. Si lo hace por amor al arte o a la ética —tanto
montan— puede no serlo.

—Y si el aprovechado remite las equis miles
de pesetas a la caja de su Organización para los fines
específicos de la misma, ¿es traidor?

—No, porque no obra en provecho propio.

—Así que, el traicionar depende de si se cobra
o no.

—Así sea infinitesimal el sueldo o el provecho, del tipo que sea. Ahora bien, fíjese: no hay libro,
ni ensayo acerca de la traición o, por lo menos, no
los conozco, y he visto bastantes en mi vida. Acerca
de los traidores, sí: infinitos y cantidad de leyes. Hasta sería capaz de decirle que la literatura está basada
en historias de traiciones y de traidores. Pero sobre
la traición en sí, nada.

—Es curioso. ¿A qué lo atribuye?

—¿Qué político no traiciona? A sí, a los demás. Sin eso, el mundo no adelantaría, estaríamos donde siempre estuvimos. ¿Traicionó Bonaparte a la revolución? ¿Traicionó Lutero? ¿Traicionó Isabel la
Católica? ¿Traicionó Julio César? ¿Traicionó Bruto?
La historia de la evolución, del progreso, es una larga
historia de traciones, la historia misma de la tración,
por eso la gente huye de hablar de ella. Unamuno,
cuando quiso hacerlo, no pasaba de disertar acerca de
la envidia.

—Entonces ¿no se puede hacer nada?

—¿Nada de qué?

—Por Dalmases, por Fidel.

—Ya le dije que lo más eficaz me parece que hable con su hijo.

Suena el teléfono.

—Acaban de proponerle a Besteiro la Presidencia de la nueva Comisión Ejecutiva del Partido Socialista.

—¡Qué hermosa noticia para su primera plana!

—Y hemos nombrado a Feliciano Benito, Comisario del Ejército del Centro...

—*El padre Benito*...

Se miran y sonríen sin querer.

—¿Cómo va a acabar esto?

Ramón Bonifaz mira al librero de viejo.

—¿Qué más da? Dentro de un mes, todos calvos.

Una pausa.

—¿Qué me da por mi biblioteca?

Rectifica.

—Mejor me la guarda.

—¿Se va?

—En cuanto pueda. Me han ofrecido un curso en Amsterdam...

Casado toma el teléfono.

—¿González?

—Sí.

—Mándame tu artillería y un batallón de ametralladoras.

—Ven tú por ellas, traidor.

González, Jefe de la VII División, defiende la Casa de Campo y Rosales: a dos pasos. No se ha movido, fijo en el enemigo. Casado ordena que se le ataque por la espalda. De la Puerta del Sol por la calle del Arenal, bajan guardias de asalto hacia el puesto de mando de la División instalado en la imprenta de Rivadeneyra, en el Paseo de San Vicente. Al desembocar las fuerzas del Consejo en la Plaza de España se entabla el combate. Las ametralladoras de la VII siegan una veintena de combatientes.

—¡A por ellos!

Los cogen entre dos fuegos: desde la calle de Ferraz y por la Cuesta. No ha pasado media hora cuando el enemigo —el de siempre, el de verdad— ataca. Los pocos que se habían quedado en línea retroceden hasta la puerta de la Casa de Campo, al pie de la Cuesta. González, desesperado, ordena que regresen sus fuerzas, que ya habían llegado a la Puerta del Sol. Contienen, frenéticos, al enemigo. Desesperado, el comandante golpea a puñetazos la mesa que se le enfrenta:

—¡Hijos de puta! ¡Hijos de puta!

Julián Templado no da abasto. Menos mal —piensa— que Riquelme me dijo que era un puesto tranquilo...

Luis Barragán, empuñando un fusil (plomo por plomo), se dice dejando la imprenta: —Que forme el director. El director, en Francia.

6

Al salir del excusado, Enrique Almirante ve una puerta abierta. No se para a preguntar quién la dejó así. Se asoma; no hay nadie. Sigue, cruza un soldado, le saluda indiferente, sale a un patio. Se sienta en un banco. Calma, se dice. Las fugas se preparan; de cien, noventa y nueve fallan. Ahora, sin pensarlo ni comerlo ni beberlo estoy medio libre. Tal vez, en el fondo, no les importe mucho. ¿Dónde dará aquella reja? Quieto. Hazte el dormido. Acecha. Salen tres camiones; grita al que conduce el último.

—¿Me llevas?

—¿Dónde vas?

—Déjame cerca de Bravo Murillo.

Decide —sobre la marcha, que no es un decir— estarse quieto unos días en casa del *Espiritista*. Don Manuel se niega a alojarle:

—No quiero ver a nadie, a nadie.

—Es usted un traidor.

—¿Traidor? ¿Traidor, yo? Traidor, si lo hay, no hay más que uno. Lo oye: Uno.

Levanta una mano, cierra el puño dejando apuntado un dedo hacia lo alto, sosteniéndose apenas con la otra, en la mesa.

—Me ha dejado solo. ¡Solo!

—Pero yo soy su amigo. Déjeme entrar aquí. No le molestaré nada. Hasta que esto se acabe.

—Ya acabó todo.

—¿Va a negarme un vaso de vino?

—Si se trata de beber, es otra cosa. Una copa no se niega ni al peor enemigo.

—¿Quién es nuestro peor enemigo?

Don Manuel mira a su visitante con los ojos turbios, hace un gesto vago:

—El que tenemos en casa.

Escancia con dificultad. Derrama vino sobre la mesa ya pegajosa.

V. 9 de marzo

1

—Atacaremos a las siete de la mañana.

—¿Para qué? —pregunta Templado a González.

—¿Cómo para qué? Por lo menos para recobrar lo que perdimos ayer.

Lo hicieron; con decisión, como si no pasara nada; como si se trata de ganar la guerra, todos a una. Recuperar lo perdido.

—¿Qué hacemos con los prisioneros?

—¿Cuántos son?

—Un centenar.

Trescientas bajas.

Julián Templado hace curas de urgencia.

—¿Qué hacemos con los prisioneros?

—Mándalos a la cárcel. Está vacía.

—¿Y los presos?

—Más libres que tú o yo. Andan locos buscando a Valdés, el jefe de la quinta columna de los rebeldes, que se les fue con los demás.

—Échale un galgo.

—¿Qué vamos a hacer?

—Creo que ha llegado una orden del Comité Provincial de ponernos de acuerdo con los del Consejo.

—No es posible.

—A ciertas alturas no existe la palabra imposible.

—Si alguien cayese ahora, aquí, de la luna, ¿qué creería?

—De golpe —del golpe— se daría cuenta de lo que son los españoles: gente abnegada y capaz de morir por sus ideales.

—Hablo en serio.

—Y yo. Nos vería a nosotros y a los que ahora se nos enfrentan aquí. Luego, al salir del Campo del Moro, se encontraría con los rebeldes, donde también le recibirían a tiros. Tal vez pensara que no luchamos unos contra otros, como es natural, sino uno contra dos para demostrar nuestro mayor valer y valor.

—Hombres por carambola: teniendo que tocar las otras dos bolas para contar.

—La verdad es que somos muy brutos.

—A Dios gracias.

Templado mira a González, sonríe. Da media vuelta volviendo a lo suyo, extrae una bala del brazo de un muchacho de Guadix, que sopla, sin ruido, encajadas las mandíbulas.

—Así me gustan a mí los hombres.

El mozancón le mira con ganas de morderle.

2

Lola decide bajar al hospital de San Carlos para hablar con Riquelme. Si no puede nada, será de buen consejo. Le conoce por Manuela Corrales, que fue su maestra cuando tomó las lecciones necesarias para ingresar en la Casa de Socorro. Le sabe compañero de Vicente.

Espera en un corredor frío —no hay cristal sano— blanco sucio. Se sienta en un banco descarrillado. Se levanta. Pasea. Mira el patio, gris. Se sienta. Le duele el corazón. Apoya la cabeza contra la pared. Vicente. Vicente. Donde estés, contéstame. ¿No me oyes? Si mi padre tuviera razón... Se alza de hombros, se abraza para sentir menos frío. ¿Qué me estoy diciendo? Lo que nunca le dije, lo que nunca me digo.

Se representa sus «escenas de amor». Jamás cruzan palabra. Callado. Callada. Callados. A su propio gusto. Al de él. ¿Ella? Ella viéndole. Gozando su gozo, callada. Bastándose con ello. Al borde. Con la seguridad de que con la paz todo se cumplirá. La paz, jamás tan lejana. Dispuesta a lo que sea: perder la vida con tal de salvarle. Salvarle y salvarse. ¿Salvarse, ella, de qué? Le quiero más que a todo. Lo doy todo: mi vida, la vida de cuantos me rodean, la vida del mundo, por él. De cabeza.

Viéndola, Lola no sabe lo que es la muerte. Se la representa como en la Casa de Socorro —o ahí, en San Carlos—: las tripas, los sesos, fuera, sanguinolentos. Pero esto no es la muerte. La muerte —para ella— es lo que siente en los brazos de su amante sin poder llegar a entregarse del todo. El amor —piensa— o la muerte. El amor, la posesión, la posesión física, a la que no puede llegar, o la muerte. ¡Penétrame, mi amor! ¡Húrgame! Hazme caer, destrózame las entrañas, mátame. ¿Qué es morir si no amar? Amar es no ser, y soy. ¡Acaba conmigo! Destrózame, a ver si hecha polvo soy tuya. Te quisiera...

¡Mi amor, qué lejos estás! ¡Qué lejos! A dos pasos de la muerte, solo, sin mí, que no soy nada para ti. ¿Esto es amor? No tenerte... Tus labios fríos que piensan en otra o tal vez en nadie. Tus labios que piensan... Sí: está bien, piensan. ¿A quién amas? No me lo digas, que lo sé, a nadie, a nadie. Tu sola soledad y la mía que te doy. Mi vida. ¡Mátame! ¡Tenme! A nadie: nadie tiene cuerpo y alma: Asunción.

Hay alguien a su lado. Se levanta como picada por una víbora. Va hasta el final del corredor, avergonzada de sí.

—¿Qué pasa?

—Han detenido a Vicente. A Vicente Dalmases. ¿Le conoce?

Explica sus gestiones infructuosas.

—Espera. O, mejor, vente.

Ve la indecisión de Riquelme al abrir la puerta de una sala del hospital.

—Pasa.

Llegan al borde de la cama en la que dormía Rigoberto Barea. Se despabila.

—¿Otra vez tu padre?

—No.

Barea, rubicundo pelirrojo de veintiocho años, de Almería, pecoso, chato, respingón, de buen humor, caletre corto, anarquista porque desde que nació le molestó hacer lo que los demás le indicaban. Pésimo estudiante con ínfulas de escritor. Simpático, de ojos azules. Los no enterados de ciertas raíces normandas sembradas por todo el litoral le toman por inglés. Sonríe enseñando su magnífica dentadura. (No fuma porque todos los de su edad lo hacen):

—¿Qué tripa se te ha roto?

—Han detenido a Vicente.

—¿Quiénes?

—No lo sé. Volvía de Levante.

—¿De Valencia?

—No, de Albacete. (¿Para qué le dice que fue a Elda?)

—¿Cuándo?

—Hace días. Los mismos que me he pasado buscándote.

—¿Dónde está?

—Es lo que quiero saber.

—No va a ser fácil.

—¿Cómo es posible...?

—Mira, chata (para Rigoberto Barea todas las mujeres son «chatas», porque él lo es), ahora...

—Pero ¿me respondes de su vida?

—Si lo encontramos, creo que sí.

A Riquelme: —¿Puedo hablar por teléfono? Le ayudan. Le llevan a un despacho.

—Oye, ¿tenéis ahí por casualidad a un teniente de la VIII, Vicente Dalmases?

—No lo creo.

—Entérate, y llama donde supongas que podáis tenerle. (A Lola) ¿Dónde le detuvieron?

—Al entrar, por Canillejas, creo.

—¿En qué coche venía?

—En una rubia.

—Para que veas, así va a ser más fácil. Las rubias son muy visibles. (Al teléfono.) Venía en una rubia.

—¿De quién? —preguntan.

—¿De quién? —repite Barea a Lola.

—De la VIII. Del Estado Mayor de la VIII.

—Del Estado Mayor de los cabrones de la VIII.

—Deben tenerla en la Plaza de Toros.

—Entérate, rápido y me llamas al...

Mira a Riquelme. Da el número. Cuelga. Esperan.

—¿Qué te pasó?

—Que te cuente el médico.

—Dentro de un mes, como si nada.

Rigoberto Barea se muerde los labios, primero el superior. Suele hacerlo cuando algo le preocupa. «Dentro de un mes...»

—¿No lo crees?

—¡Cómo no!

—Di la verdad.

—¿Dónde estaremos dentro de un mes?

Suena el teléfono. La rubia está en la Plaza.

—Del que te interesa no saben nada. Creen recordar que lo pasaron a *Jaca.* Así, vagamente.

Se muerde los labios.

—Más bien peliagudo. A ver qué se puede hacer.

La mira, sonríe.

—Te acompañaría. Pero aquí, el joven, no me va a dejar. Voy a darte una orden. Buscas al teniente Rincón, en el Ministerio de la Guerra. Él te acompañará.

—Gracias —dice Lola a Riquelme, al salir.

—¿De qué? Soy médico. Debo salvar vidas. Anda.

La calle. ¿Cómo llegar antes a Buenavista? Corre. No se puede pensar corriendo. No llueve. La humedad pega la ropa al cuerpo. El aire traspasa la cara. El piso, resbaladizo. Corre. Donde menos se piensa salta la liebre: buscando a Rigoberto Barea durante tres días salta la liebre: buscando a Rigoberto Barea durante tres días y cuatro noches. Su cara rubicunda —ahora— sonriente, como un sol; antes —cuando husmeaba su paradero— no era más que un nombre. Corre. Aprieta en el bolsillo derecho de su traje sastre la carta del comisario. Está llegando a la meta. La detienen, la dejan pasar. El cañoneo lejano la ayuda a correr. Sube. Consultan. La dejan pasar. Una antesala.

3

Querida Julia:

Jamás he pasado momentos tan amargos como los de estos días en que debía escuchar los tristes ruidos de los combates entre republicanos que, en ocasiones, he presenciado.

He pasado muchas horas con Rodríguez Vega, Secretario General de la U.G.T., discutiendo lo que podíamos hacer, se nos unía a veces Edmundo Domínguez, comisario del Ejército del Centro —al que acaban de destituir— y que no tiene la conciencia muy tranquila porque al principio se dejó embaucar por Casado. Ahora se da cuenta de la barbaridad que hicieron, pero ya no hay salida y nosotros hemos tenido que ponernos al habla con los del Consejo para ver qué se puede salvar, que creo va a ser muy poco. No sé qué se habían figurado. La presunción es infinita: cada quien se cree mejor que los demás. Hasta por mí lo digo ahora.

Vega creía tener la posibilidad de convencer a los comunistas, que pertenecían casi todos a la U.G.T., de la conveniencia de poner término a la lucha, siempre que no se ejercieran represalias. Le pareció bien a Ángel Pedrero, asustado como estaba por la prolongación de la lucha de la que era en parte responsable, ya que cooperó a la formación del Consejo, cuando todavía era jefe del SIM. A instancias nuestras consultó con algunos de la Junta. Esperamos horas, que no le deseo a nadie. Al final otra vez en su despacho —estábamos en una antesala, mirando la Puerta del Sol, desierta, viendo alguno que otro corriendo pegado a las paredes, por los disparos sueltos. Pedrero, desencajado, nos dijo que había hablado con Carrillo, el Consejero de Gobernación, y que éste estimaba que no procedía hacer ninguna gestión. Su odio a los comunistas puede más que todo. La lucha sigue, por mí no te preocupes; me cuido y me cuidan; les puedo ser útil.

Al mismo tiempo suceden cosas inconcebibles: no lo creerás, esta mañana, apenas era de día, se me presentaron Gumersindo y Aureliano Gutiérrez, dos correligionarios de El Escorial, para plantearme, con la mayor seriedad, un problema relacionado con la elección, por parte de las organizaciones obreras, de dos consejeros municipales, en sustitución de los comunistas. De la contestación que les diera, dependía, según Aureliano, que la esposa de Gumersindo fuera o no la alcaldesa del pueblo, en sustitución de otro compañero, amigo de Rodríguez Vega, que hasta entonces venía ocupando el cargo.

Se los envié a Pascual Segrelles que parece es el que se ocupa —muy en serio— de estos problemas, aunque no pude evitar decirles antes de despedirme de ellos:

—Os advierto que no debéis preocuparos demasiado, porque lo más probable es que, antes de quince días, el que nombre los concejales de El Escorial será otro.

—¿Quién?

—Franco.

Es difícil que te puedas imaginar la cara de sorpresa de aquellos hombres al oír de mis labios una afirmación tan terminante; muy lejos de quedar convencidos, supe que siguieron sus gestiones con vistas a hacer prosperar su criterio, exactamente como si tuvieran por delante la posibilidad del ejercicio del cargo durante años. Lo extraordinario es que lo consiguieron.

Así está la gente. No tengo la menor idea de cuánto tiempo va a durar esto. En la calle la mayoría no se da cuenta, siguen firmes, lo que amarga más mi corazón.

No digas nada de eso a los compañeros. ¿Para qué?

Te quiere como siempre.

Juan

¿Sabes algo de los chicos?

4

Nota enviada por Luis Mora a don José María Morales

Las fuerzas de los comandantes Librerino, Gutiérrez y Luzón abrieron combate en San Fernando del Jarama. A cañonazos pasaron el río.

Los comunistas se repliegan hacia Chamartín. Los batallones anarquistas de la XIII y la XXV División, tras asaltar la posición *Jaca,* se han metido en el centro, con sus dinamiteros en vanguardia. Han tomado un antitaque y una ametralladora que sus adversarios tenían emplazados en la calle de Alcalá.

Un batallón «de enjundia libertaria»˙ —según me dicen— asaltó los Nuevos Ministerios sufriendo cuatrocientas bajas.

Sigue reinando una gran confusión.

Hay una evidente desmoralización en buena parte del elemento castrense que ya no piensa más que en entregarse a la benevolencia de Franco, fiado en la creencia de que cumplirá los compromisos que el Consejo ha hecho correr, ignoro con qué base.

Su ex secretaria me llamó ayer por teléfono interesándose por el paradero de un conocido jefe militar de filiación comunista. Le dije que viniera a verme para tratar de ayudarla. No vino, ignoro las razones.

En la primera cama, una mujer gorda, en las últimas. Los estertores de la muerte, idénticos a la respiración de los renacuajos con los que jugaba en su Segovia natal. Terrible resistencia del cuerpo humano aunque ya no hay nada que hacer. Aspiración y espiración desesperadas. Luego dirán:

—Murió como un pajarito.

Un renacuajo, un pajarito —piensa Riquelme—, ¿y yo? ¿El paredón? ¿Un tiro en el occipucio? ¿O la asfixia, buscando desesperado un poco más de aire? Lo mismo da. Demasiada muerte a mi alrededor durante estos últimos años.

Rigoberto Barea, le pregunta, al paso:

—¿Has sabido algo de la hija del *Espiritista?*

—No.

—Han debido dar muchas vueltas. Rincón es de confianza —una pausa—. Hasta cierto punto.

—¿Qué punto?

—Olvídalo. Sin contar que pueden estar buscándole dos o tres días.

Riquelme tiene otras cosas en qué pensar. Al paso, sonríe a Rosa María Laínez.

—¿Qué?
—Bien.
—No es nada.

VI. *12 de marzo*

1

Carta de González Moreno a R. L., en París

La inactividad —o incapacidad— del Consejo, me llevó a entrevistarme anteayer con Besteiro para plantearle diversas cuestiones que me tenían muy preocupado. Hablamos primero de las posibilidades de paz. Le expuse lo que hablé con Vayo y Negrín. De cómo me informaron de que se habían iniciado negociaciones con los gobiernos francés e inglés para ver de hallar una solución. Le hice ver que alguna gestión en este sentido era mucho más eficaz que los llamamientos que el Consejo de Defensa hacía al aire, públicamente, a tontas y locas (no empleé esas palabras) y que implican un grave error táctico. A este primer planteamiento, Besteiro me respondió terminantemente que no le parecía bien hacer gestiones indirectas porque él no se consideraba formando parte de un gobierno regular.

—Yo he venido aquí solamente a hacer la paz, y si en unos días no se hace yo me voy —me dijo.

Examiné, después, otro problema: el de la organización de la evacuación, y de las gestiones acerca de los Organismos internacionales del proletariado, y le planteé igualmente la situación en que los elementos republicanos se iban a encontrar al abandonar el país en cantidad tan considerable. Le hice patente las grandes cantidades de productos agrícolas y otros, como mercurio, propiedad del gobierno español o de las colectividades obreras que, a mi juicio, debían sacar de España para su liquidación, y cuyo importe serviría para aminorar la situación desesperada en que seguramente se hallarían nuestros compatriotas que consiguieran salir del país, la misma en que se encuentran cientos de miles en los campos de concentración de Francia. Asimismo, le sugerí la conveniencia de que el Consejo procurara, entendiéndose con el Dr. Negrín o como fuera, disponer del dinero y de los valores existentes en diversas entidades en el exterior, propiedad del Gobierno, con este mismo fin.

Si terminante fue la respuesta en lo que a las gestiones de paz se refiere, más terminante lo fue en orden a estas indicaciones:

—Descartado el propósito nobilísimo que a usted le anima —me dijo— no estoy dispuesto a participar en nada de lo que usted dice, especialmente en lo que se refiere a los organismos que el Gobierno tiene montados en el exterior.

A continuación se desató en una sarta de improperios contra Negrín y su administración.

Aún continuó la conversación— aunque daba muestras de estar muy fatigado— en torno a los problemas del Partido Socialista y de la política internacional del momento.

Precisamente dos días antes, un grupo socialista, perteneciente a diversas Federaciones Provinciales, se había reunido para examinar la situación y decidieron elegir, sin facultad ninguna para ello, una nueva dirección nacional del Partido en sustitución de la que se encontraba en Francia después de abandonar Barcelona. Le fue ofrecida a Besteiro la Presidencia de la nueva C.E. del P.S., designación que rechazó, por parecerle poco serio lo hecho por aquellos amigos. El anuncio, durante mi visita, de que la recién elegida dirección deseaba entrevistarse con él, cosa a la que no accedió en aquel momento, motivó que siguiéramos charlando sobre este tema y el de la responsabilidad en cuanto al desastre que contemplábamos de la República Española.

A este respecto, después de un comentario fuertemente despectivo acerca de Largo Caballero, desarrolló su tesis según la cual la responsabilidad de todo lo ocurrido en el Partido y, como consecuencia, en el país, recaía en Prieto, por haberse unido a Caballero «solamente para hundirme a mí». A continuación, sostuvo un criterio, que a mí me pareció francamente disparatado, de que era posible un entendimiento entre Berlín y Londres, con lo cual se formaría lo que él llamaba el eje Londres-Roma-Berlín. Ni siquiera me molesté en contestarle. Déjame decirte que le encontró sin afeitar, cosa rarísima en él.

—¿No piensa marcharse?

—No.

—¿Y si le cogen y le...?

—Tengo sesenta y nueve años y estoy enfermo. ¡Ojalá me fusilaran! Por lo menos sería una bandera para el día de mañana.

No quiero pensar que ha participado en lo sucedido precisamente para eso: para pasar a la historia.

—Aún tiene muchas cosas que hacer.

—No lo creo. Esto no lleva el camino que queríamos.

Como verás, el resultado de la conversación fue nulo. La impresión que me produjo, profunda. Me parece que Besteiro, por una serie de razones, en

este momento —acaso por su mismo estado físico—
es un hombre incapaz de hacer frente a los acontecimientos que se avecinan por lo mismo que no comprende, o muy poco, de los pasados, al reducirlos, en
su dimensión histórica, a unas cuantas incompatibili-
dades personales. Antonio Pérez asistió al final de la
entrevista; salió de la casa de aquel hombre, por él
tan admirado y querido, realmente abrumado.

Despojada de todo ropaje sentimental y pres-
cindiendo de las motivaciones menudas que la determinan, la actitud de Besteiro me parece muy grave.
Ayer visité al coronel Casado que, aunque ocupa solamente la Consejería de Defensa por haber dejado
la Presidencia al General Miaja, es, sin embargo, el
hombre de más autoridad en el Consejo. Le repetí lo
que sabía de las negociaciones de paz que se intentaron a través de los gobiernos francés y británico.

—Tiene usted razón —me respondió—, pero
este hombre —refiriéndose a Besteiro— no quiere.

No creo equivocarme si afirmo que Casado, que
me recibió en la cama por encontrarse enfermo, está
profundamente desilusionado de Besteiro y extraor-
dinariamente amargado.

¿Qué hago? ¿Qué hacemos? ¿Podrás escribir-
me? ¿Podré recibir tu contestación?

Tuyo y del socialismo.
L. G. M.

2

Sobre la marcha, González Moreno fue al Pardo a ver al coronel Barceló.

—¿Es verdad que las fuerzas del XXII Cuerpo cortan la carretera de Valencia?

—Sí, es una medida de precaución para que ninguna otra unidad abandone el frente para venir en opoyo de la Junta.

—Ya no hay otro poder. El gobierno ha salido del país y tenemos que obedecer a alguien. Y ese alguien es el poder constituido.

—El gobierno, si ha salido, lo hizo obligado por el golpe de fuerza de Casado. Mientras el gobierno no decline sus poderes, la legalidad es él, se halle donde se halle.

—El Gobierno Negrín ofreció traspasar sus poderes al Consejo.

—Pero éste no lo aceptó.

—De hecho es lo mismo. Los mandos necesitan una autoridad y ahora no hay otra que la de Casado.

—Para lo que va a durar...

—Eso dice usted. ¿Por qué y por quién lucha? Si el gobierno ha huido —y diga lo que diga es lo que ha pasado— ¿qué objeto tiene luchar por él?

—¿Pero vamos a apoyar a un grupo de rebeldes alzados contra la legalidad?

—¡Pero si lo apoyan todas las organizaciones del Frente Popular!

—Eso dicen ellos.

—Piénselo bien, Barceló. Supongamos que derribéis a la Junta, ¿qué gobierno vais a constituir si todos los partidos políticos y las organizaciones sindicales están en contra vuestra? ¿O es que vais a tomar el poder solos? ¿Quién os va a obedecer? No seáis locos. Hay que salvar lo que se pueda.

Barceló calla, desesperado.

3

Nota de Luis Mora para José María Morales

Por decisión del Consejo, fue entregada la siguiente nota al coronel Ortega para el Partido Comunista:

«El Consejo considerará el fin de la lucha bajo las siguientes condiciones:

1. Dejar todas las armas, y todas las fuerzas que regresen a las posiciones ocupadas en el día en que fue formado el Consejo Nacional para la Defensa.

2. Entregar inmediatamente al Consejo cada uno de los militares y civiles arrestados por los rebeldes.

3. Una promesa de la parte del Consejo Nacional de juzgar a los ofensores sin ninguna clase de prejuicios.

4. La sustitución y relevo de todos los comandantes y comisarios, en cualquier forma y por cualquier procedimiento que el Consejo crea el mejor.

5. El Consejo Nacional para la Defensa pondrá en libertad a todos los miembros del Partido Comunista arrestados que no han cometido crímenes.

6. El Consejo Nacional para la Defensa, una vez que esto sea arreglado, aceptará escuchar a los miembros del Partido Comunista.

Cuarteles Generales, 12 de marzo de 1939
Consejeros para la defensa Nacional
Segismundo Casado.»

El Partido Comunista acaba de contestar en la forma siguiente:

«Ha habido luchas durante seis días en Madrid y el Partido Comunista piensa que prolongar la lucha causaría un tremendo daño al país. Por esta razón ha decidido usar su influencia para que cese el fuego, recordando nuestro supremo deber de unir todas las fuerzas posibles para la guerra contra los invasores, en vista de la inminente ofensiva enemiga en cada uno de los frentes, y tomando en consideración que el Gobierno de Negrín ha hecho lo mejor abandonando España.

»El Partido Comunista, quien no ha hecho nunca nada, o tenido intención de hacer algo que no esté en la línea de su política que es suficientemente bien conocida por todos y practicada invariablemente, declara que hoy, sin la unidad de nuestro pueblo, cualquier resistencia es imposible, y llama a todos los sectores para un acuerdo positivo y fructífero, de acuerdo con los intereses de nuestra independencia y de nuestra libertad.

»Nos damos cuenta del acuerdo alcanzado por el Consejo Nacional de Defensa sobre las condiciones para hacer la paz en la que no haya represalias. En estas circunstancias no sólo abandonamos nuestra resistencia a la autoridad constitucional, sino que también, los comunistas en el frente y atrás de las líneas, donde trabajen o luchen, continuarán como lo han hecho hasta ahora, dando al país un ejemplo de sacrificio, heroísmo y disciplina, con su sangre y sus vidas.

Marzo 12, 1939.»

Nada de esto se hace público todavía, pero es cuestión de horas.

—Espera.

El teniente Rincón entra. ¿Qué calle es ésta? No lo sabe. Está sin sentido. Lo leyó, se le ha olvidado. Sol blanco entre nubes grises. ¿Qué hora es? Debe de ser cerca de mediodía. ¿De qué día? ¿A cuántos está? No se conoce, no es ella, cascarón de sí misma.

Del portal estrecho y oscuro surge un Vicente desconocido, barba cerrada de días, uniforme arrugagado, camisa sucia, boca amarga.

—¡Hola!

—Vine por ti.

—Gracias. Pero de todos modos dentro de unas horas hubiera salido. ¿Cómo supiste que estaba aquí?

—Por Rigoberto Barea. Hasta que di contigo...

—¿Cómo se te ocurrió ver a Barea?

—Hablé con Riquelme. Tienes que marcharte cuanto antes.

—¿A dónde?

—A Denia, a Alicante.

No a «Valencia». Espera que él le pregunte: «¿Y tú?» No lo dice.

—Tengo que ir al Partido.

La deja.

5

Ramón Bonifaz hizo avisar a Moisés Gamboa de que se marchaba al día siguiente. Que, como fuera, cargara con su biblioteca y la depositara en su almacén.

—¿Cómo? ¿En qué? Son por lo menos cinco o seis mil volúmenes. Con el carrito de mano tardaría una semana. No tengo quien me ayude.

Bonifaz llamó a Val, que le remitió al responsable de transportes: tampoco tenía medios a la mano.

—Es muy urgente.

—Llama a una ambulancia —le contestó en broma.

Lo hizo. Se la enviaron. *Pirandello* mandó por Concha, su nuera, para que cuidara de Soledad, diciéndole que regresaría en una hora. Tuvieron que hacer tres viajes de la calle del Prado a la plaza de Santo Domingo. Lo que más tiempo costó fue el sube y baja de los volúmenes. Cayó la noche. Soledad parecía tranquila; Concha nerviosísima, pensando en sus hijos desamparados, le hizo recomendaciones y se fue. Cuando Moisés llegó a su casa, la demente había desaparecido.

—Sí, sin duda: pudimos acabar con Casado y su pandilla sin grandes esfuerzos. Si Ascanio se decide la noche del 5 al 6, no quedan ni los rabos.

—Pero no lo hizo. Vacilasteis.

—¿Quién no?

—¿Por qué? Eran muy pocos: un foco en los sótanos de Hacienda, un nido de ratas.

—¿Y constituir otra Junta u otro Consejo?

—No había que pensar.

—Feliz tú, si puedes. Esperaron órdenes. No llegaron.

—No se atrevieron. Faltó el hombre, sobrando hombres.

—El mal, una vez hecho, difícil remediar.

—Todo se lo va a llevar la trampa. No voy a discutir las buenas o malas intenciones de unos u otros. Un país se parece más de lo que tú crees al cuerpo humano. Aparece un tumor, maligno o no, pero como señal inequívoca de que todo empieza a fallar: los pulmones, el riñón, hasta acabar con la vida. Y no al revés.

—No creí que fuera —que fuéramos— a acabar así.

—Nadie cree de verdad en la muerte. Siempre sorprende.

Carlos Riquelme se enfunda en su bata.

—¿Qué vas a hacer?

—El recorrido de siempre. A los enfermos, mejor dicho: a las heridas lo mismo les da que mande Negrín o Casado, y, si mucho me apuras: los caballeros de Burgos.

—¿Te vas a quedar?

—Sin duda, ni dudas. Uno es médico antes que fraile.

—Lo vas a pasar mal.

—Lo ignoro. Y tú. Lo que sé es que son *mis* enfermos.

—No te servirá de gran cosa.

—¿Crees que me quedo para que sirva de algo?

—Diéguez me dijo que pasara por ti; abajo tengo un coche que por lo menos, nos dejará en las afueras.

Acaba de exponerle la situación: los franquistas entrarán en Madrid dentro de unos días.

—Mejor servirás vivo que muerto.

—No digo que no, pero a otros; y se da el caso de que he de atender a *éstos*.

—¿Y Manuela?

—Se queda.

Manuela Corrales, grande, rolliza, asturiana; hermosa, no guapa, segura de sí, amiga de argüir y replicar porfiada, fundándolo todo en razones. (Riquelme es del mismo corte; más sosegado trae los argumentos de más lejos. Disputan estando de acuerdo. El hombre se deja convencer, lo que enardece a la amante.)

Manuela estuvo casada con un chófer, socialista. Con la guerra, la política la arrebató; se puso por completo a la disposición del partido comunista en el que ingresó, un poco por casualidad y por su cuñado, en noviembre de 1936. Cerróse de mollera para aceptar ciegamente lo que le dijeran, ocupada el alma por la seguridad de sus convicciones. Mandó su marido a paseo porque éste no quiso aceptar la conversión violenta de la que había conocido sin interés por el bien público:

—Las mujeres en casa.

Se conocieron ocho años antes en la verbena de San Antonio, se casaron a los dos, muy formales el uno y la otra. A fines del 36, los dos hijos fueron a parar a un pueblo catalán. ¿Dónde están ahora? Manuela y Jesús se divorciaron hace cerca de un año. Él está en Valencia. La enfermera fue la razón del ingreso del médico en el partido comunista.

—Yo me voy —dice Vicente.

—Haces bien. ¿Y Asunción?

—En Valencia.

—¿Vas allí?

—Si puedo. ¿Crees que hago bien en marcharme?

—Tal como se han puesto las cosas ¿qué remedio te queda?

El tuyo —piensa Vicente—, quedarse. ¿Para qué? Madrid se va a entregar al enemigo. Tal vez respeten al médico, quizá le dejen cuidar sus enfermos, pero lo que es a él... Mientras tanto, Asunción ¿qué?

La boca amarga, el estómago revuelto: un punto doloroso en la base del esternón. Pasa por su mente, un segundo, preguntarle a Riquelme qué debe tomar, qué le da. Se lo reprocha: que le siga doliendo. Mira al médico, indeciso.

—Vete, te queda mucha vida por delante. Recuerdos a Asunción.

Su amistad vino de la de las dos mujeres, que pertenecían a la misma célula.

—¿Y Manuela?

—Dormida.

—¿De veras no queréis...?

El médico se mete en una sala. El olor.

Vicente quiere despedirse de otra manera. Le sigue. Le ve examinando a un paciente. Duda, vuelve atrás.

—Le llaman de aquella cama.

Se extraña de ver allí a Rosa María Laínez.

—¿Qué sabe de Víctor?

—Está preso. Enjuiciado por haberla raptado.

—¿Qué dice?

—La verdad.

—¿Qué debo hacer?

—Presentarse.

Vicente le explica el caso a Riquelme: supo del caso, detenido. No hay como la cárcel para enterarse de todo. Iban a dar de alta a Rosa María dentro de un par de días.

Ayudada por Mercedes y Manuela, Rosa María fue inmediatamente a Gobernación. No les hicieron caso, a pesar de las destemplanzas de Mercedes.

—Es cosa del Ministerio de la Guerra.

—Es mi marido.

La miran extrañadas.

—Sí: nos casamos.

Era cierto. Pero no iban a soltar así como así al *Comandante Rafael* que, por otra parte, ignoraban tener detenido.

—Ya veremos.

—¿Dónde está?

—Es lo que tratamos de saber.

Volvió.

—Creímos que estaba aquí. Pero no parece. Deben de haberle trasladado a Chinchilla o a Alcalá. Estamos haciendo gestiones. No se preocupe.

Entre las tres mujeres se soldó en aquellas horas una extraña amistad.

—¿Y cómo conociste tú a Vicente?

—¿Éste es Vicente Dalmases?

—Sí.

—¿De qué le conocías?

—De un llavín. Pero no sabía cómo se llamaba. Estuve en casa de su suegro.

—Sería en casa del chalao del padre de Lola.

Ni el Estado Mayor —donde supieron de la detención a poco de realizarse— ni el partido comunista había tenido por aquellos días ocasión de ocuparse de la búsqueda del *Comandante Rafael*. El hecho de que fueran policías del por entonces todavía existente Ministerio de la Gobernación los que llevaron a cabo el servicio, la desaparición voluntaria o no de la mayoría de ellos; la liberación de cientos de presos hacía dificilísima la averiguación. Algunos le dieron por ejecutado, la mayoría tenía otros problemas que resolver. En el Pardo recordaron que un detenido clamaba ser su progenitor. Le buscaron inútilmente. El coronel Barceló habló de ello, incidentalmente, con Juan González Moreno, que fue a ver a Pascual Segrelles.

¿Qué mueve a los hombres? Segrelles gritando, de pronto:

—¡Hay que fusilarlos!

—Pero, si de hecho, todo acabó.

—¿Y los que fusilaron qué? No hay que dejar ni uno, me oyes, ni uno.

7

Otra vez hacia Levante. Vicente alcanza, en Las Ventas, a subirse a un camión repleto. Lleva una orden falsificada para el Gobernador de Alicante. Duerme de pie, con la cabeza revuelta: a mediodía, todavía preso.

Se traiciona una causa, a una mujer —o un hombre—, ¿se puede traicionar a una ciudad? Porque lo que han engañado —dorando las palabras como el atardecer las piedras de allá enfrente— urdiendo una sucia trama, sembrando cizaña no es a éste o al otro, a un partido, a mí, a ti, a quien sea —ni a España siquiera, ya partida— sino a Madrid, a una ciudad de carne y hueso, a hombres de piedra y cemento. Lo que han vendido es el Puente de los Franceses, la Ciudad Universitaria, el Puente de San Fernando, el Pardo, Fuencarral, la Telefónica, la Gran Vía, la Cibeles, la Castellana, aquella buhardilla —la de Asunción, la suya—, el Manzanares. Con sus ardides, sus artificios, sus tretas, trapacearon lo más limpio, zancadillando lo que los españoles habían levantado hasta el cielo. Felones, alevosos, a traición, por la espalda —que le duele.

Dejar Madrid... ¿Qué puede hacer? Le duele físicamente y no sólo en el estómago (¿y si fuera sólo el estómago?) Madrid... ¿Cuándo volverá? Si estuviera Asunción a su lado. (¿Y Lola?) Lola, en Madrid, con los fachas. No le pasará nada: se irá a Getafe, con su padre. Nadie les molestará. O, tal vez, sí. ¿Qué importa entre tantos? Sí, importa. Más cuentan los traidores: meterles los naipes por la boca hasta que revienten por sus fullerías. Farsantes. ¿A quién engañan? A ellos, ciegos, perdiendo lo más. ¿A quiénes jugaron esa treta? Nos vendieron. ¿Por un plato de lentejas? ¡Ca! Por nada, por menos que nada, fascinados. ¿Por qué? Por codicia, desde luego no. ¿Por salvar el propio pellejo? Los que urdieron la trampa pudieron ponerse a buen recaudo sin recurrir a ella. ¿Por usurpar el poder? ¿Qué poder, si lo han tirado en el cieno, y lo han de dejar y no se les puede ocultar? ¿Por odio personal hacia los que querían lo mismo que ellos aunque fuese por otros caminos? Sí. Y es lo peor. Y la envidia. ¿Por envidia? Quizá. No: por odio personal, por creerse más competentes que los otros. Por lo más bajo. Por estar en lo cierto: por creer estar en ello. ¿Hay que jugarse la vida —y la de los demás— por creer estar en lo cierto? Vicente desecha la idea que —lo prevé— le llevaría quizá a justificar a sus contrarios. ¡Si sólo fueran en ello sus vidas o las de los demás! No: es Madrid —a ojos cerrados—, Madrid subido en su cerro, a orillas del Manzanares, Madrid de piedra, ahí, plantado arriba del Campo del Moro.

Le regurgitan todos los insultos, las palabras más soeces. Sin poder remediarlo, sin decir allá va, Vicente siente arcadas, arroja lo poco que tiene en el estómago.

—Me has puesto perdido —le dice el que está colgado contra él—. Por lo menos podías avisar.

Perdido. Hace ocho días que pasó por ahí, con otro ánimo. Con la escondida esperanza de llegar a Valencia. Valencia, Asunción.

Van cincuenta apiñados en el camión desvencijadísimo. Se vencen los adrales a izquierda y derecha como si fuese una barca a merced de un duro oleaje. Río de lodo parece la carretera a fuerza de baches. El mar.

—¡Coño! Tened más cuidado...

Caen unos sobre otros, se apoyan, rechazan con tal de no caer ni enredarse. Vicente, en el centro, se agarra como puede, a veces de una mano, a veces de la otra o de las dos, de la vara que sostiene la capota de lona.

—Lo único que no hemos necesitado, en esta guerra, son mujeres.

—Eso, tú.

—Quiero decir que tuvimos las que queríamos.

—No digas disparates.

—Bueno, hombre, entiéndeme.

—Si te entiendo, el que no sabe lo que dice eres tú.

—Para ti la perra gorda. Pero tenías que haber visto la que se nos presentó hace dos días. Venía por su novio que, le habían dicho, teníamos guardadito en algodón en rama. Habíamos despachado al cabrón a donde más valía. Pero la hicimos bailar un rato. Para eso el *Siete Dedos* es bárbaro. ¡*Arsa* mi niña! ¡Arsa! ¡Más arriba, que se vea Teruel! Lo que yo te digo es que —por lo menos donde yo estuve— lo que no hemos necesitado en esta guerra son mujeres, salgas tú por donde te dé la gana... Y que conste que estaba buena.

—¿Te la beneficiaste?

—¡Ca, hombre! Sabía lo que quería. El capitán se la metió en su cuarto. Ése nunca tiene bastantes. Ella parecía decente. Él también se portó: le dijo dónde podía encontrar a su compañero.

En la modorra que le sumerge, del dolor de los hombros, de los brazos que sostienen su vaivén, le surge a Vicente la idea de que el energúmeno está hablando de Lola.

—Os advierto que no éramos los primeros que visitaba. Recorrió otros puestos.

—¿Cómo era?

—¿Quién?

—Esa de que hablas.

—Guapota.

—¿Vino así porque sí?

—Nos la mandó uno que sabía lo que se hacía...

La carretera, llena de baches, está muy transitada. Gente, todos en la misma dirección, desertores que se suman, llegando a campo traviesa. Algunos intentan parar el camión. Al descubrirlo tan lleno desisten. Los capotes, sucios de barro; los zapatos, montón de lodo; los macutos, informes; los fusiles, terciados sobre las mantas enrolladas. Van «a casa». Las caras de piedra, a medio acabar, de estatuas carcomidas por el tiempo.

Debió de ser Lola.

—¡Tú! Capitán de mierda. Vas a salir. Ahí te esperan. Dale gracias a lo que sea.

Un teniente, en un despacho exiguo:

—Cuidado con lo que haces. No queda un comunista con mando.

Lola en la acera:

—¡Hola!

—Vine por ti.

—Gracias. Pero de todos modos dentro de unas horas hubiese salido.

Verdad, porque se habían entregado o se iban a entregar, pero entonces no lo sabía. Lo dijo para no tener que agradecerle nada, por alzar en seguida una barda que los separara, para imponer distancias, para acabar.

—¿Cómo supiste que estaba aquí?

Lola le miró tres segundos, los ojos enredados en los suyos, antes de contestar:

—Por Rigoberto Barea. Por Riquelme. Hasta que di contigo.

Parecía muy cansada. ¿Quién no lo estaba? Otra vez el dolor punzante en los antebrazos. Se suelta, el bamboleo le obliga a agarrarse de nuevo a pesar de la quemadura en los tendones de los bíceps.

—¿Cómo se te ocurrió ver a Barea?

—Hablé con Riquelme. Tienes que marcharte cuanto antes.

—¿A dónde?

—Tú sabrás, Dicen que salen barcos de Denia, de Alicante, de Almería.

Pensó que le tenía que preguntar:

—¿Y tú?

No lo dijo. Pensó que tenía que darle las gracias a Riquelme, ver a Diéguez.

—Tengo que pasar por el Partido.

Pararon diez minutos en Tarancón. ¿Qué hacer? Entre más de dos mil prisioneros: ¿cómo iba a ser ella? Y aunque lo fuera, ¿qué? (¿Cómo iba a ser él? ¿Por qué no?) Le había buscado desde el primer momento, pasando por todo con tal de hallarle. Le encontró y todo lo que se le ocurrió decir fue:

—Hola.

La ve en la acera, muertos los brazos, los ojos brillantes de haber logrado lo que ansiaba. Y él:

—Hola.

Fue a ver a Diéguez, a despedirse de Riquelme, antes de subir a casa del *Espiritista*. Porque, eso sí, fue. No fueran a decir…

—Me voy.

—¿A dónde?

—A Valencia.

—Que te vaya bien.

Y él, imbécil:

—Nos volveremos a ver.

—Seguro —había dicho el viejo, más calamocano que de costumbre—. Seguro. Pero ahora vete, ¡al mar! ¡al mar!

Al llegar a Motilla del Palancar, Vicente bajó del camión en marcha para subir a otro, de víveres, que subía a Madrid. Sentado entre el chófer y un guardia de asalto no despegó los labios.

—¿Se te olvidó algo?

—Sí.

Corre a la calle de Luchana. La puerta del piso está entreabierta. El viejo, completamente borracho, sentado en un arcón desvencijado de ébano y terciopelo rojo, con las urdimbres a la vista, cae de rodillas al verle entrar. Juntas las palmas de las manos grita:

—¡Has vuelto! ¡Has vuelto!

Del dintel de la entrada de su cuarto cuelga el cuerpo de Lola.

—¡Sabía que cuando ella desapareciera, volverías! ¿Aleluya! ¡Aleluya!

8

Vicente se acogió a sagrado en casa de Fidel Muñoz. No había nadie. Se derrumbó en una esquina sobre unos duros sacos terreros. No podía apartar de sí no la imagen última sino la de la noche en que por primera vez la poseyó. A pesar de su deseo feroz de borrarla de sus recuerdos —visuales, táctiles—, la tenía delante: la esquina de la mesa cubierta con un hule floreado —rosas, rosas sobre fondo verde, cuadriculado con rayas blancas—; ella —traje gris holgado con un cinturón ancho de piel brillante carmesí—, la boca entreabierta, las mejillas subidas de color, la melena negra, las dormilonas doradas pegadas a los lóbulos carnosos de las orejas. Las orejas de Lola que había aprendido a conocer en sus menores recovecos con sus labios y su lengua. De cómo se besaron sin remedio. Sentía su cuerpo pegado al de ella. Más ancho que el de Asunción, más lleno, más amplio, más grande, cupiendo en él.

¡Apartarse de sí! Pensar en otra cosa. El mundo. La guerra. La traición. La muerte, la suya, rondando. Asunción. El hecho indiscutible de que Lola se ha suicidado por su voluntaria indiferencia. La calle,

la acera, ella: —¡Hola!—, tal como lo había dicho.
Sí: consigue apartar unos segundos sus sentidos de
las imágenes de aquella noche pero vuelven la boca
anhelante, los labios tibios, los dientes, la lengua, la
furia. Lola en sus brazos, viva, entregándose con de-
sesperación: —¡Tómame! Soy tuya, tuya, tuya—. Col-
gada.

Vicente se muerde el índice de su mano izquierda hasta la sangre, para hacerse daño, para apartar la figura. Lo logra el tiempo de un relámpago
pero vuelve el peso, el volumen del tronco de Lola
entre sus brazos. Sus pechos. Su vergüenza: —No me
mires.

Huir. Andar. Las calles, andar, andar sin ver,
sin fijarse. No pensar. Ir al frente, que le maten. Ni
eso puede ahora. Nadie dispara de noche. Anda, cruza
calles. La Gran Vía. ¿Por qué? La Telefónica. Hablar
con Asunción. A su sorpresa lo consigue. Conversación a hachazos, interrumpida a cada diez segundos,
sin que ninguno esté seguro de que oiga lo dicho por
el otro. Su mutuo deseo de encontrarse al día siguiente, cuanto antes, en Valencia o en Alicante. En Alicante. ¿Cómo? No hubo manera de restablecer la comunicación.

—¿Me oyes?
—¿Cómo estás?
—Bien.
—¿Y tú?
—Bien.

Irse, aunque fuera andando. Lola frente a la
mesa, yendo hacia él, abierta. El calor de su cuerpo, lo
blanco de sus carnes entre sus manos. Sus bocas, su
boca sobre la de ella. Traidor.

Traidores todos: los republicanos, los anarquistas, los socialistas; ni qué decir tiene: los fascistas, los conservadores, los liberales; traidores todos,

traidor, el mundo. Si el mundo es traidor, nadie lo
es. Pero lo son: Casado, Besteiro, Mera, el padre de
Lola, yo. Traidor yo a Asunción. Todos traidores. Unos
por haberlo hecho con pleno conocimiento de causa,
otros por haberse dejado arrastrar, traidores por cobardía, por dejadez, por imbéciles, por ciegos, por sordos, por callados. Traidores por desesperanza, indiferencia, saciedad, conveniencia; por vileza, por humildad —¿por humildad?—. Sí. Por envidia, por celos,
por aborrecimiento, por pequeños, por cursis; por
amargor, ofuscación, prejuicios; por tontos, necios, in-
geniosos; traidores por instinto, por distracción, por
error, por sobra de imaginación, por incredulidad, por
imprevisión, por ignorancia, por inexpertos, por sal-
vajes, por dejarse llevar por la ocasión, por cálculo y
falsos cálculos, por miedo. Por dejar en el atolladero
a los demás, por salvar el pellejo, por creerlo conveniente; por incomprensión, por confusos —traidores
por aproximación—, por fútiles, por medianos, por
mediocres, por la fama, la oportunidad, la importancia que les dará.

Traidores todos menos Asunción, luz.

Todos traidores, menos Asunción. Asunción,
mi vida. Más traidor yo, ahora, por agarrarme a ella
como clavo ardiendo habiéndola traicionado, habiendo provocado —provocador, traidor— la muerte de
Lola.

En este mundo traidor...

El recuerdo del verso famoso, para él espejo
de cursilería, para en seco la desenfrenada retahíla que
bordea su camino interior. No. Cualquier cosa menos
volver atrás.

VII.   *13 de marzo*

1

Sale un militar del despacho de Casado. Entra Besteiro. Están solos.

—¿Y de Burgos?

—Parece que no quieren saber nada como no sea la rendición incondicional.

2

—¿Cómo no vamos a ir al entierro?

—Las mujeres no tenéis ninguna obligación. Aquí no se estila.

—Aquí no se estilaban tampoco muchas otras cosas.

El *Espiritista* se niega obstinadamente a acompañar al Este el cuerpo de su hija. Es otro del de la noche pasada.

—No he ido nunca a ningún sepelio. No participo de esa superstición ni soy caníbal para pasarme un día y una noche llorando. Todo eso de los entierros no es más que superstición. Pasó a mejor vida. Auténticamente. Sin duda alguna. Ahora Vicente tiene vía libre.

Nadie sabe dónde está Vicente. Riquelme no puede abandonar el hospital; bien está que vaya Manuela. Los demás, como no fueran algunos vecinos, no se enteraron. Además, un cadáver más, en Madrid, y a estas alturas... Mercedes fue a contratar la carroza.

—A ver qué caballo ponéis.

La cochera está bien defendida para que la gente no se lleve los pencos, a pesar del asco que siempre le hicieron los madrileños a la carne de caballo.

Cuando llegan a la Plaza de la Alegría —la de Manuel Becerra— convencen al cochero —un viejo arrugado que desaparece en su traje usadísimo— para que las deje subir al carromato.

—No deben pasar de aquí; estos días, cuando menos se lo piensa uno, tiran a dar. La carretera está imposible.

—Usted va ¿no?

—Es mi obligación.

—También la nuestra.

El automedonte, que ha visto muchas cosas en su vida, las deja. Carro desvencijado, jaco matalón. Las mujeres se sientan atrás, las piernas colgando.

Los ventorrillos famosos cerrados. Dos tanques emplazados a derecha e izquierda de la carretera. El cielo gris, bajo. Por el descampado corre el frío. Nadie habla. Rosa María Laínez, sentada entre Manuela y Mercedes, siente a sus espaldas el ataúd de Lola. De los bombardeos, del descuido de la guerra, hay muchos baches.

Rosa María se da cuenta de que su unión con Lola —la muerta—, con Manuela, la de Riquelme; con Mercedes, la cualquiera, sólo pudo ser resultado de la guerra. Sin eso ¿cómo? Siente una gran ternura por todas. No entra ningún sentimentalismo en lo que la une a las demás. No se parece a lo que la liga —la ligaba— a sus compañeras de colegio, ese espíritu de clase, en su sentido más estrecho; es otra cosa, no sabe qué: una vida insospechada pero que suponía viva, existente, católica en extensión y a la que había cerrado los ojos.

¡Quién ha visto esto y quién lo ve! Bernardino Ureña ha sido cochero muy experto: vestido a la Federica, llevaba con orgullo y tino sus seis caballos enjaezados, ¡qué arreos! Atrás, veinte simones. ¡Qué exequias!, ¡qué catafalcos!, ¡qué coronas!, ¡qué andar pausado!

El obús les dio de lleno. El caballo sobrevivió un cuarto de hora, suelto, corriendo por el campo desierto, pateando sus tripas.

Rosa María Laínez, tirada en la cuneta, herida, sin dolor, sólo ve el cielo.

—Creo en Dios Padre Todopoderoso, creador del Cielo y de la Tierra. Creo en Jesucristo, su único Hijo, Nuestro Señor, que fue concebido por obra y gracia del Espíritu Santo, que nació de Santa María Madre, virgen; padeció bajo el poder de Poncio Pilatos, fue crucificado, muerto y sepultado, descendió a los Infiernos, al tercer día resucitó de entre los muertos, subió a los Cielos; está sentado a la diestra de Dios Padre Todopoderoso; desde allí ha de venir a juzgar a los vivos y a los muertos. Creo en el Espíritu Santo, la Santa Iglesia Católica, en la Comunión de los Santos, el perdón de los pecados, la resurrección de la carne, la vida perdurable. Amén.

Y luego:

—Padre nuestro que estás en los cielos...

Pasan velocísimos tres aviones a poca altura. Los sigue con los ojos. El ruido feroz de los motores ahoga la oración. Vuelven otros recuerdos:

—¿Qué son los Mandamientos que la ley natural nos dicta?

—Querer o no querer para mi prójimo lo que para mí quiero o no quiero.

—¿Qué cosas ayudan a guardar mejor los Mandamientos?

—La oración, sacramentos, sermones, libros devotos y tratos de buenas compañías.

—¿Qué cosas dañan?

—Costumbres y ocasiones malas, poca devoción y sobrada confianza.

—¿Qué cosa es Extremaunción?

—Una última y espiritual convalecencia del alma.

El patio del colegio de Orduña, la Madre Águeda, tan seria; las tocas, el altar, las filas, el refectorio. De rodillas.

Por primera vez tiene miedo. Se da cuenta de que el miedo la ha empujado, atenazado, durante toda su vida. Su abuela, intransigente, dura, berroqueña —vestía de negro desde el día de su viudez, treinta años atrás— rodeada del Coco, de las Brujas, del Hombre del Saco, del Otro; la oscuridad, las ratas precursoras de los males eternos amontonados por las monjas —la madre Sacramento, la madre Ambrosia sobre todo—, las tenazas, las llamas, los tridentes, el pelo estirado por miles de demonios al menor pecado, a la más pequeña mentira, por golosinería o curiosidad. El miedo negro haciéndola desconfiada de sí; las imaginaciones de espíritus malos viéndola cobarde, sin querer nunca estar en el pellejo de otra, por si acaso; continua desconfianza. El recelo, el pánico, la aprehensión; atemorizada por cualquier ruido, por desconocido sospechoso; no confiarse nunca porque todo puede ser boca del Infierno. No saber dónde meterse, un nudo en la garganta. El religioso temor... Todos los perros, rabiosos; todas las serpientes, víboras. Por si acaso, no tenerlas nunca todas consigo. Ve su niñez preñada de recelo, más muerta que viva. Ahora abre los ojos al cielo, gris, sedante, tranquila en el repentino sosiego de la llanura. Serena, la entra rauda la congoja con la imagen de Víctor. ¿Qué será de él, sin ella, por primera vez completamente suya? Un dolor sordo le sube de la entrepierna, devorándola.

Surgida del llano, chupada la cara, la piel oscura tirante sobre los pómulos, los ojos saltones por lo hundido de las cuencas, el pelo largo, revuelto y lacio de la lluvia y el descuido, a manchones pardos el traje negro arrastrado; sarmentosos los brazos; descalza, Soledad —demente— la mira con atención chupando *una* mano destrozada, sucia de barro y sangre.

ESTE LIBRO
SE ACABO DE IMPRIMIR
EN LOS TALLERES GRAFICOS
DE HIJOS DE E. MINUESA, S. L.,
EN MADRID,
RONDA DE TOLEDO, 24,
EL 25 DE SEPTIEMBRE DE 1979

SE ENCUADERNO EN
S. A. INDUSTRIA DEL LIBRO